Il grande Gatsby

di
F.Scott Fitzgerald

Questa è un'opera di pubblico dominio.

Il grande Gatsby

Di nuovo
A
Zelda

Allora indossa il cappello d'oro,se questo la commuove;
Se riesci a rimbalzare in alto,rimbalza anche per lei,
Finché non griderà   : Amante,amante dal cappello dorato,amante
rimbalzante,
Devo averti! "

Thomas Parke 'd Invilliers

IO

Nei miei anni più giovani e vulnerabili mio padre mi ha dato alcuni consigli
che da allora ripenso alla mia mente .

" Ogni volta che hai voglia di criticare qualcuno " ,mi ha detto," basta
ricorda,che tutte le persone a questo mondo non hanno avuto vantaggi
che hai avuto. "

Non ha detto altro,ma siamo sempre stati insolitamente comunicativi
in modo riservato,e ho capito che intendeva molto di più
di quello. Di conseguenza,sono propenso a riservarmi ogni giudizio,a
abitudine che mi ha aperto molte nature curiose e mi ha anche reso
la vittima di non pochi veterani noiosi. La mente anormale è veloce a farlo
rilevare e attaccarsi a questa qualità quando appare in modo normale
persona,e così è successo che al college sono stato ingiustamente
accusato di
essendo un politico,perché ero a conoscenza dei dolori segreti della natura
selvaggia,
uomini sconosciuti. La maggior parte delle confidenze non sono state
richieste ,cosa che mi è capitata spesso
ho finto di dormire,di essere preoccupato o di una leggerezza ostile quando
me ne sono reso conto
qualche segno inequivocabile che palpitava un'intima rivelazione
L'orizzonte; per le rivelazioni intime dei giovani,o almeno
i termini in cui li esprimono,sono solitamente plagiari e
rovinato da evidenti soppressioni. Si tratta di riservare giudizi
speranza infinita. Ho ancora un po' paura di perdermi qualcosa se lo faccio
dimenticatelo,come suggeriva snobbosamente mio padre,e io snobbosament
ripeto,il senso delle decenze fondamentali è suddiviso
ineguale alla nascita.

E dopo aver vantato in questo modo la mia tolleranza,giungo all'ammission
che ha un limite. La condotta può essere fondata sulla dura roccia o sul
paludi umide,ma dopo un certo punto non mi interessa su cosa si fonda
su. Quando sono tornato dall'Oriente lo scorso autunno ho sentito che lo
desideravo
il mondo deve essere in uniforme e in una sorta di attenzione morale per
sempre; IO
non volevo più escursioni sfrenate con scorci privilegiati nel
cuore umano. Solo Gatsby,l'uomo che dà il nome a questo libro,lo era
esente dalla mia reazione : Gatsby,che rappresentava tutto ciò per cui io
avere un disprezzo inalterato. Se la personalità è una serie ininterrotta di

Il grande Gatsby

esti riusciti,allora c'era qualcosa di meraviglioso in lui,in un certo senso
ensibilità accentuata alle promesse della vita,come se fosse imparentato
una di quelle complesse macchine che registrano i terremoti dieci
migliaia di miglia di distanza. Questa reattività non aveva nulla a che fare
on quello
npressionabilità flaccida che viene nobilitata sotto il nome di
temperamento creativo " — era un dono straordinario di speranza,a
rontezza romantica come non ho mai trovato in nessun'altra persona e
he probabilmente non ritroverò mai più. No ,Gatsby è uscito
utto bene alla fine; è ciò che predava Gatsby,che polvere ripugnante
alleggiava sulla scia dei suoi sogni che temporaneamente chiudevano i
niei
nteresse per i dolori abortiti e le euforie di breve durata degli uomini.

-- ----------------------

a mia famiglia è stata una persona importante e benestante in questo
Medio
ittà occidentale da tre generazioni. I Carraway sono una specie di
lan,e abbiamo una tradizione per cui discendiamo dai Duchi di
Buccleuch,ma il vero capostipite della mia stirpe fu quello di mio nonno
ratello,che venne qui nel cinquantuno,mandò un sostituto al Civile
uerra,e mio padre avviò l'attività di vendita all'ingrosso di ferramenta
ontinua oggi.

Non ho mai visto questo prozio,ma dovrei assomigliargli ... con
iferimento speciale al dipinto piuttosto duro che pende
fficio del padre . Mi sono laureato a New Haven nel 1915,appena un
uarto del
n secolo dopo mio padre,e poco dopo vi ho partecipato anch'io
itardata migrazione teutonica nota come Grande Guerra. Mi è piaciuto il
ontro-incursione così approfondita che sono tornato irrequieto. Invece di
ssere
caldo centro del mondo,il Middle West ora sembrava il
onfine frastagliato dell'universo ,quindi ho deciso di andare a est e
mparare il legame
Attività commerciale. Tutti quelli che conoscevo lavoravano nel settore
bbligazionario,quindi lo immaginavo
otrebbe sostenere un altro uomo single. Tutte le mie zie e i miei zii ne
arlavano
ome se stessero scegliendo una scuola per me,e alla fine disse:
" Ebbene ... sì » ,con facce molto serie ed esitanti. Il padre ha accettato di
nanziare
er un anno,e, dopo vari ritardi, venni all'Est,definitivamente,l
ensò,nella primavera del ventidue.

a cosa pratica era trovare una stanza in città,ma faceva caldo
tagione,ed avevo appena lasciato un paese dai prati ampi e accoglienti
lberi,quindi quando un giovane in ufficio ci ha suggerito di prendere un
ivere insieme in una città di pendolari,sembrava un'ottima idea. Lui
rovai la casa,un bungalow di cartone rovinato dalle intemperie a
ttant'anni
nese,ma all'ultimo minuto la ditta lo ordinò a Washington,e
ono andato in campagna da solo. Avevo un cane ,almeno l'avevo avuto
er un po
ochi giorni prima che scappasse - e una vecchia Dodge e una donna
nlandese,chi
ni preparai il letto,preparai la colazione e mormorai la saggezza finlandese
e stessa sul fornello elettrico.

Rimasi solo per un giorno o giù di lì finché una mattina qualcuno,o forse di
iù
a poco arrivato di me,mi ha fermato per strada.

Come si arriva al villaggio di West Egg? " chiese impotente.

Gliel'ho detto. E mentre camminavo non ero più solo. ero una guida,
n esploratore,un colono originale. Mi aveva casualmente conferito il
bertà del quartiere.

Il grande Gatsby

E così con il sole e le grandi esplosioni di foglie che crescono sul
gli alberi,proprio come le cose crescono nei film veloci,mi erano familiari
convinzione che la vita ricominciasse con l'estate.

C'era così tanto da leggere,per prima cosa,e così tanta buona salute
essere tirato fuori dall'aria giovane e vivificante. Ne ho comprati una
dozzina
volumi su titoli bancari e di credito e di investimento,e loro
stava sul mio scaffale in rosso e oro come soldi nuovi di zecca,
promettendo di svelare i segreti splendenti che solo Midas e Morgan e
Mecenate lo sapeva. E avevo l'alta intenzione di leggerne tanti altri
libri,inoltre. Ero piuttosto letterario al college : un anno ho scritto a
serie di editoriali molto solenni ed evidenti per Yale News, - e ora
Avrei riportato tutte queste cose nella mia vita e sarei diventato
ancora una volta lo specialista più limitato, l " uomo a tutto tondo". "
Questo non è solo un epigramma : la vita viene vista in modo molto più
efficace.
da un'unica finestra,dopotutto.

È stato un caso che avrei dovuto affittare una casa in uno di
le comunità più strane del Nord America. Era su quello snello
isola ribelle che si estende a est di New York - e dove
vi sono,tra le altre curiosità naturali,due insolite formazioni di
terra. A venti miglia dalla città una coppia di uova enormi,identiche nel...
di contorno e separati solo da una baia di cortesia,sporgono in più
specchio d'acqua salata addomesticato nell'emisfero occidentale,il grande
cortile umido di Long Island Sound. Non sono ovali perfetti ,come i
uovo nella storia di Colombo,vengono entrambi schiacciati al contatto
fine — ma la loro somiglianza fisica deve essere fonte di perpetuazione
meraviglia per i gabbiani che volano sopra di noi. Per i senza ali ancora di
più
fenomeno interessante. è la loro dissomiglianza in ogni particolare
tranne forma e dimensione.

Vivevo a West Egg,il ... beh,il meno alla moda dei due,però
questo e un tag molto superficiale per esprimere la bizzarria e non poco
sinistro contrasto tra loro. La mia casa era proprio all'estremità del
uovo,a soli cinquanta metri dallo stretto,e stretto tra due enormi
posti che venivano affittati per dodici o quindicimila dollari a stagione. Quello
acceso.
il mio diritto era una faccenda colossale sotto ogni punto di vista : era un
dato di fatto
imitazione di alcuni Hô tel de Ville della Normandia,con torre su uno
fianco,nuovo di zecca sotto una barba sottile di edera cruda e un marmo
piscina e più di quaranta acri di prato e giardino. Era
di Gatsby. O meglio,poiché non conoscevo il signor Gatsby,era un
palazzo abitato da un gentiluomo con quel nome. La mia casa era un
pugno nell'occhio,ma era un piccolo pugno nell'occhio,ed era stato
trascurato,quindi io
avevo una vista sull'acqua,una vista parziale sul prato del mio vicino ,e
la consolante vicinanza dei milionari ,tutti per ottanta dollari a
mese.

Dall'altra parte della Courtey Bay i palazzi bianchi dell'elegante East Egg
luccicavano lungo l'acqua e la storia dell'estate inizia davvero
la sera sono andato lì per cenare con Tom
Buchanan. Daisy era mia cugina di secondo grado una volta allontanata e
avevo conosciuto Tom
in collegio. E subito dopo la guerra trascorsi due giorni con loro
Chicago.

Suo marito,tra le varie doti fisiche,era stato uno dei
le estremità più potenti che abbiano mai giocato a calcio a New Haven : a
in un certo senso una figura nazionale,uno di quegli uomini che raggiungono
un livello così acuto
eccellenza limitata a ventuno anni di cui tutto il dopo sa di
anticlimax. La sua famiglia era enormemente ricca ,anche al college

Il grande Gatsby

libertà con il denaro era motivo di rimprovero ,ma ora aveva lasciato
Chicago
vieni in Oriente in un modo che ti toglie il fiato: per
er esempio,aveva portato con sé una serie di pony da polo da Lake
oresta. Era difficile realizzare che un uomo della mia generazione lo fosse
bbastanza ricco per farlo.

erché siano venuti all'Est non lo so. Avevano trascorso un anno in Francia
er
enza una ragione particolare,e poi vagava qua e là inquieto
vunque la gente giocasse a polo e diventasse ricca insieme. Questo era
n
asloco definitivo,mi ha detto Daisy al telefono,ma non ci credevo
sso ... Non riuscivo a vedere il cuore di Daisy ,ma sentivo che Tom
arebbe andato alla deriva
lla continua ricerca,un po' malinconicamente,della drammatica turbolenza

ualche partita di calcio irrecuperabile.

così accadde che in una calda serata ventosa andai verso est
gg per rivedere due vecchi amici che conoscevo appena. La loro casa
ra ancora più elaborato di quanto mi aspettassi allegro biancorosso
alazzo coloniale georgiano,affacciato sulla baia. Il prato iniziava alle
piaggia e corse verso la porta d'ingresso per un quarto di miglio,
altando su meridiane,vialetti di mattoni e giardini in fiamme - finalmente
uando
aggiunse la casa fluttuando lungo il lato in tralci luminosi come se
allo slancio della sua corsa. Il fronte era spezzato da una linea di francesi
nestre,ora risplendenti di riflessi dorati e spalancate al caldo
omeriggio ventoso,e Tom Buchanan in abiti da equitazione era lì accanto
gambe divaricate sulla veranda.

ra cambiato rispetto ai suoi anni a New Haven. Adesso era un robusto
n uomo sui trent'anni,dai capelli paglierini,con la bocca piuttosto dura e un
nodo arrogante. Si erano stabiliti due occhi lucenti e arroganti
ominio sul suo viso e gli dava l'impressione di essere sempre appoggiato
ggressivamente in avanti. Neppure l'effeminata ostentazione della sua
avalcata
vestiti potevano nascondere l'enorme potere di quel corpo : sembrava
empirlo
uegli stivali luccicanti finché non ha teso l'allacciatura superiore,e tu potevi
edere un grande gruppo di muscoli che si spostava quando la sua spalla si
oostava sotto la sua
appotto sottile. Era un corpo capace di un'enorme influenza : un corpo
rudele.

a sua voce parlante,un tenore burbero e roco,aggiungeva l'impressione di
agilità che trasmetteva. C'era un tocco di disprezzo paterno
nche nei confronti delle persone che gli piacevano — e c'erano uomini a
ew Haven che
aveva odiato a morte.

Ora,non credo che la mia opinione su queste questioni sia definitiva " ,
embrava
re: " solo perché sono più forte e più uomo di te". " Noi
avamo nella stessa società seniore,anche se non siamo mai stati intimi,

o sempre avuto l'impressione che mi approvasse e volesse che gli
acessi
i con una certa malinconia dura e provocatoria.

bbiamo parlato per qualche minuto sotto il portico soleggiato.

Ho un bel posto qui",disse ,con gli occhi che lampeggiavano
requieto.

acendomi girare per un braccio,mosse una mano larga e piatta lungo il
raccio

vista frontale,compreso nella sua estensione un giardino all'italiana
infossato,a metà
un acro di rose profonde e pungenti e un motoscafo dal muso camuso che
sobbalzava
la marea al largo.

» Apparteneva a Demaine,il petroliere. " Mi ha fatto voltare di nuovo,
educatamente e bruscamente. " Andremo dentro . "

Attraversammo un alto corridoio ed entrammo in uno spazio luminoso dai
colori rosati,
fragilemente legato in casa dalle porte-finestre alle due estremità. IL
le finestre erano socchiuse e scintillavano di bianco contro l'erba fresca
all'esterno
sembrava crescere un po' all'interno della casa. Soffiò una brezza
La stanza,fece saltare le tende da un lato e dall'altro come se fossero
pallide
bandiere,attorcigliandole verso la torta nuziale glassata del
soffitto,e poi si increspo sul tappeto color vino,creando un'ombra
su di esso come il vento sul mare.

L'unico oggetto completamente stazionario nella stanza era enorme
divano sul quale due giovani donne stavano sollevate come su un
pallone ancorato. Erano entrambi vestiti di bianco,cosi come i loro vestiti
increspandosi e svolazzando come se fossero appena stati respinti
indietro dopo un
breve volo intorno alla casa. Devo essere rimasto in piedi per qualche
istante
ascoltando la frusta e lo schiocco delle tende e il gemito di a
foto sul muro. Poi ci fu un boom quando Tom Buchanan chiuse la porta
i finestrini posteriori e il vento catturato si spensero nella stanza,e il
le tende,i tappeti e le due giovani donne si gonfiarono lentamente verso il
cielo
pavimento.

Il più giovane dei due mi era sconosciuto. Era completamente estesa
lungo all'estremità del divano,completamente immobile,e con lei
il mento si sollevo leggermente,come se stesse tenendo in equilibrio
qualcosa su di esso
era molto probabile che cadesse. Se mi vedesse con la coda dell'occhio
lei non ne diede alcun accenno ,anzi,fui quasi sorpreso al punto di
mormorare
le scuse per averla disturbata entrando.

L'altra ragazza,Daisy,fece un tentativo di alzarsi ,inclinandosi leggermente
avanti con un'espressione coscienziosa - poi rise,in modo assurdo,
una piccola risata affascinante,e ho riso anch'io e mi sono fatto avanti nel
camera.

" Sono paralizzato dalla felicità. "

Lei rise di nuovo,come se avesse detto qualcosa di molto spiritoso,e mi
trattenne
mano per un momento,guardandomi in faccia,promettendomi che c'era
nessuno al mondo che desiderasse cosi tanto vedere. Lei era cosi,
avevo. Ha accennato in un mormorio che il cognome della ragazza in
equilibrio era
Panettiere. (Ho sentito dire che il mormorio di Daisy era solo per creare
gente
inclinati verso di lei; una critica irrilevante che non l'ha resa da meno
affascinante.)

Ad ogni modo,le labbra della signorina Baker tremarono e lei quasi annuì
impercettibilmente,e poi inclinò di nuovo la testa all'indietro : l'oggetto
lei era in equilibrio era ovviamente aveva vacillato un po' e le aveva ceduto
qualcosa di spaventoso. Di nuovo una sorta di scusa mi salì alle labbra.
Quasi ogni esibizione di completa autosufficienza suscita stupore
omaggio da parte mia.

Ho guardato di nuovo mia cugina,che ha iniziato a farmi domande a bassa voce,
voce emozionante. Era il tipo di voce che l'orecchio segue e
su,come se ogni discorso fosse un arrangiamento di note che non ci sarà
mai
giocato di nuovo. Il suo viso era triste e adorabile,con dentro cose luminose,
occhi luminosi e una bocca luminosa e appassionata,ma c'era eccitazione
nella sua voce che gli uomini che si erano presi cura di lei difficilmente
dimenticarono:
una compulsione a cantare,un " Ascolta " sussurrato,una promessa che
aveva
fatto cose gay ed eccitanti proprio qualche tempo fa e che c'erano cose
gay,
cose interessanti in sospeso nella prossima ora.

Le raccontai che mi ero fermato a Chicago per un giorno mentre andavo
verso est,
come una dozzina di persone mi avevano inviato il loro affetto.

Gli manco? " esclamò estatica.

Tutta la città è desolata. Tutte le auto hanno la ruota posteriore sinistra
dipinta di nero come una ghirlanda di lutto,e c'è un lamento persistente su
tutti
notte lungo la costa settentrionale. "

Che meraviglia! Torniamo indietro ,Tom. Domani! " Poi ha aggiunto
in modo irrilevante: " Dovresti vedere il bambino. "

Mi piacerebbe . "

Sta dormendo . Ha tre anni . Non l' hai mai vista? "

Mai. "

Beh,dovresti vederla. Lei è ... »

Tom Buchanan,che vagava irrequieto per la stanza,si fermò
mi ha appoggiato la mano sulla spalla.

Cosa stai facendo,Nick? "

Sono un uomo obbligato. "

Con chi? "

Gliel'ho detto.

Non ne ho mai sentito parlare " ,osservò con decisione.

Questo mi ha infastidito.

Lo farai " ,risposi brevemente. " Lo farai se rimani in Oriente. "

Oh,resterò in Oriente,non preoccuparti ",disse ,lanciando un'occhiata
Daisy e poi di nuovo verso di me,come se fosse attento a qualcosa
di più. » Sarei un dannato pazzo a vivere altrove. "

A questo punto la signorina Baker disse: " Assolutamente! " con tale
rapidità che
ho iniziato : era la prima parola che aveva pronunciato da quando ero
entrato
camera. Evidentemente la sorprese tanto quanto me,perché sbadigliò
con una serie di movimenti rapidi e agili si alzò nella stanza.

Sono rigida " ,si lamentò,è " da tanto tempo che sto sdraiata su quel
divano
per quanto posso ricordare. "

Il grande Gatsby

" Non guardarmi " ,ribatté Daisy," Ho cercato di convincerti a farlo
New York tutto il pomeriggio. "

" No,grazie " ,disse la signorina Baker ai quattro cocktail appena arrivati dal
dispensa. " Sono assolutamente in allenamento. "

Il suo ospite la guardò incredulo.

" Sei! " Prese il suo drink come se fosse una goccia sul fondo
di un bicchiere. " Il modo in cui riesci a portare a termine qualcosa è al di là
delle mie capacità. "

Ho guardato la signorina Baker,chiedendomi cosa avesse fatto . " IO
piaceva guardarla. Era una ragazza snella,dal seno piccolo,con
un portamento eretto,che accentuava lanciando il corpo all'indietro
alle spalle come un giovane cadetto. I suoi occhi grigi,strizzati dal sole,
guardarono
mi risponde con educata curiosità reciproca,con un tono pallido,
affascinante,
volto scontento. Adesso mi venne in mente che l'avevo vista,o a
una sua foto,da qualche parte prima.

" Vivi a West Egg " ,osservò con disprezzo. " Conosco qualcuno
Là. "

" Non ne conosco neanche uno ..."

" Devi conoscere Gatsby. "

" Gatsby? " chiese Daisy. " Che Gatsby? "

Prima che potessi rispondere che era il mio vicino,fu annunciata la cena;
incuneando imperiosamente il suo braccio teso sotto il mio,Tom Buchanan
lo costrinse
dalla stanza come se stesse spostando la pedina su un'altra casella.

Esili,languidamente,con le mani appoggiate leggermente sui fianchi,i due
giovani donne ci hanno preceduto su un portico color rosa,aperto verso
il tramonto,dove quattro candele tremolavano sul tavolo
vento diminuito.

" Perché le candele? - obiettò Daisy,accigliandosi. Li ha scattati fuori con lei
dita. " Tra due settimane sara il giorno più lungo dell'anno. " Lei
ci guardò tutti raggiante. " Stai sempre attento al giorno più lungo
dell'anno e poi te lo perdi? Guardo sempre per il giorno più lungo
l'anno e poi perderlo. "

" Dovremmo organizzare qualcosa " ,sbadigliò la signorina Baker,sedendosi
al tavolo
tavolo come se stesse andando a letto.

" Va bene " ,disse Daisy. " Cosa pianificheremo ? " Si rivolse a me
impotente: " Cosa progettano le persone? "

Prima che potessi rispondere,i suoi occhi si fissarono con un'espressione
intimorita
mignolo.

" Aspetto! " si lamentò; " Mi sono fatto male. "

Abbiamo guardato tutti : la nocca era nera e blu.

" Ce l'hai fatta,Tom " ,disse in tono accusatorio. " So che non volevi farlo ,
ma l'hai fatto. Questo è quello che ricevo per aver sposato un bruto
d'uomo,a
grande,grosso,massiccio esemplare fisico di ..."

" Odio la parola ' enorme '" obiettò Tom stizzito," anche dentro rendere in giro. "

Grande," insistette Daisy.

A volte lei e la signorina Baker parlavano insieme,discretamente e con a cherzando su un'inconseguenza che non è mai stata del tutto chiacchiera, stato altrettanto bello ome i loro abiti bianchi e i loro occhi impersonali nell'assenza di tutto esiderio. Erano qui e hanno accettato me e Tom,facendo solo un ducato piacevole sforzo di intrattenere o di essere intrattenuto. Loro apevano he di lì a poco la cena sarebbe finita e poco dopo anche la sera arebbe finito e messo da parte con nonchalance. Era nettamente diverso al Vest,dove una serata veniva affrettata di fase in fase verso il suo tretta,in un'attesa continuamente delusa oppure in pura e semplice aura nervosa del momento stesso.

Mi fai sentire incivile,Daisy " ho confessato al mio secondo bicchiere i bordeaux corpulento ma piuttosto impressionante. Non " puoi parlare di accolti o ualcosa? "

Ion intendevo nulla di particolare con questa osservazione,ma è stata ecepita n modo inaspettato.

La civiltà sta andando in pezzi " ,esclamò violentemente Tom. " Io ho iventato un terribile pessimista riguardo alle cose. Hai letto L'ascesa egli Imperi di Colore da parte di quest'uomo Goddard? "

Ma no " ,risposi,piuttosto sorpreso dal suo tono.

Beh,è un bel libro e tutti dovrebbero leggerlo. L'idea è e non stiamo attenti ,la razza bianca lo sarà ... lo sarà del tutto ommerso. E tutta roba scientifica; è stato dimostrato. "

Tom sta diventando molto profondo " ,disse Daisy,con un'espressione di istezza sconsiderata. " Legge libri profondi con parole lunghe ro. Cos'era quella parola che ..."

Ebbene,questi libri sono tutti scientifici " ,insistette Tom,lanciandole n'occhiata npazientemente. " Quest'uomo ha risolto tutto. Tocca a oi,che siamo la razza dominante,dobbiamo stare attenti,altrimenti lo aranno le altre razze vere il controllo delle cose. "

Dobbiamo abbatterli » ,sussurrò Daisy,ammiccando ferocemente erso il sole fervente.

Dovresti vivere in California ...» cominciò la signorina Baker,ma Tom interruppe spostandosi pesantemente sulla sedia.

L'idea è che siamo nordici . Io sono,e tu sei,e tu sei, ...» Dopo un'esitazione infinitesimale incluse Daisy con a eve cenno del capo,e lei mi fece nuovamente l'occhiolino. " — E abbiamo rodotto tutto il ose che contribuiscono a creare la civiltà - oh,scienza e arte,e tutto il esto uello. Vedi? "

'era qualcosa di patetico nella sua concentrazione,come se fosse sua compiacimento,più acuto di quello di un tempo,non gli bastava più. uando,quasi subito,squillò il telefono e all'interno squillò il maggiordomo sciò il portico. Daisy approfittò della momentanea interruzione e si opoggiò erso di me.

Il grande Gatsby

" Ti svelo un segreto di famiglia " ,sussurrò con entusiasmo.
" Si tratta del naso del maggiordomo . Vuoi sapere del maggiordomo ? naso? "

» Ecco perché sono venuto stasera. "

» Beh,non è sempre stato un maggiordomo; era il lucidatore d'argento per alcune persone a New York che avevano un servizio d'argento per duecento persone. Ha dovuto lucidarlo dalla mattina alla sera,fino a quando non lo è stato ha cominciato a farsi male al naso ...»

" Le cose andarono di male in peggio " ,suggerì la signorina Baker.

" Sì. Le cose andarono di male in peggio,finché alla fine dovette arrendersi la sua posizione. "

Per un momento l'ultimo sole cadde su di lei con romantico affetto viso luminoso; la sua voce mi costrinse ad avanzare senza fiato mentre io ascolto ... poi il bagliore svanì,ogni luce la abbandonò con persistenza rammarico,come i bambini che lasciano una bella strada al tramonto.

Il maggiordomo tornò e mormorò qualcosa vicino all'orecchio di Tom : al che Tom aggrottò la fronte,spinse indietro la sedia e se ne andò senza dire una parola dentro. Come se la sua assenza risvegliasse qualcosa dentro di lei,Daisy si sporse di nuovo avanti,la sua voce splendente e cantante.

" Mi piace vederti al mio tavolo,Nick. Mi ricordi una ... una rosa,una rosa assoluta. Non è vero? " Si rivolse alla signorina Baker per avere conferma: "Una rosa assoluta? "

Questo non era vero. Non assomiglio nemmeno lontanamente ad una rosa. Lei era solo improvvisando,ma un calore commovente fluiva da lei,come se il suo cuore cercavo di venirti incontro nascosto in uno di quelli senza fiato, parole emozionanti. Poi all'improvviso getto il tovagliolo sul tavolo e si scusò ed entrò in casa.

La signorina Baker e io ci scambiammo una breve occhiata consapevolmente priva di espressione Senso. Stavo per parlare quando lei si mise a sedere all'erta e disse: " Sh! " con voce ammonitrice. Un sommesso mormorio appassionato era udibile nel stanza al di là,e la signorina Baker si sporse in avanti senza vergognarsi,ne tentativo di farlo ascoltare. Il mormorio tremò al limite della coerenza,si abbassò, montava eccitato,e poi cessava del tutto.

» Questo signor Gatsby di cui hai parlato è il mio vicino ...» cominciai.

" Non parlare . Voglio sentire cosa succede. "

" Sta succedendo qualcosa? " ho chiesto innocentemente.

" Vuoi dire che non lo sai ? " disse la signorina Baker,sinceramente sorpresa.
" Pensavo che lo sapessero tutti. "

" Io non . "

» Perché ...»,disse esitante. » Tom ha una donna a New York. "

" Hai una donna? " ripeto senza capire.

La signorina Baker annuì.

» Forse avrà la decenza di non telefonargli all'ora di cena. Non credi ? "

Quasi prima che potessi afferrarne il significato,si udì il battito di a vestito e lo scricchiolio degli stivali di pelle,e Tom e Daisy erano di nuovo lì a tavola.

' Non c'era niente da fare! - esclamò Daisy con allegria tesa.

Si sedette,guardò attentamente la signorina Baker e poi me,e continua: "Ho guardato fuori per un minuto ed è molto romantico all'aperto. C'è un uccello sul prato che penso debba essere un usignolo arriva sulla Cunard o sulla White Star Line. Sta cantando _ via ...» La sua voce cantava: » È romantico,non è vero ,Tom? "

» Molto romantico » ,disse,e poi mi rivolse miseramente: » Se è'c luce basta dopo cena,voglio portarti giù alle stalle. "

All'interno squillò il telefono,in modo sorprendente,e Daisy scosse la testa decisamente a Tom l'argomento delle scuderie,in effetti tutti gli argomenti, svanito nell'aria. Tra i frammenti rotti degli ultimi cinque minuti a tavola ricordo che le candele venivano riaccese,inutilmente,ed io era consapevole di voler guardare, tutti in faccia,e tuttavia di farlo evitare tutti gli occhi. Non potevo indovinare cosa stessero pensando Daisy e Tom,ma... Dubito che lo faccia anche la signorina Baker,che sembrava aver padroneggiato una certa cosa forte scetticismo,riuscì a mettere completamente a tacere lo stridulo di questo quinto ospite urgenza metallica fuori dalla mente. Ad un certo temperamento la situazione avrebbe potuto sembrare intrigante : il mio istinto è stato quello di telefonare immediatamente alla polizia.

cavalli,inutile dirlo,non furono più menzionati. Tom e la signorina Baker,con qualche metro di crepuscolo tra loro,ritornò dentro a biblioteca,come a vegliare accanto a un corpo perfettamente tangibile, mentre, cercando di sembrare piacevolmente interessato e un po' sordo,lo seguii Daisy attorno ad una catena di verande collegate al portico antistante. In nella profonda oscurità ci sedemmo fianco a fianco su un divano di vimini.

Daisy si prese il viso tra le mani come se ne sentisse la forma adorabile,e suoi occhi si spostarono gradualmente nel crepuscolo vellutato. l'ho visto emozioni turbolente la possedevano,quindi le ho chiesto cosa pensavo sarebbe stato alcune domande sedative sulla sua bambina.

" Non ci conosciamo molto bene,Nick " ,disse all'improvviso. " Anche se siamo cugini. Non sei venuto al mio matrimonio. "

Non " ero tornato dalla guerra. "

È vero , Esitò . " Beh,ho passato un brutto periodo,Nick, e sono piuttosto cinico su tutto. "

Evidentemente aveva motivo di esserlo. Ho aspettato ma non ha detto altro, e dopo un momento ritornai piuttosto debolmente sull'argomento iglia.

» Immagino che parli,e ... mangi,e tutto il resto. "

Oh sì. " Mi guardò distrattamente. » Ascolta,Nick; lascia che ti dica quello che ho detto quando è nata. Ti piacerebbe sentire? "

" Molto. "

Ti " mostrerà come mi sento riguardo a queste cose. Beh,lo era
meno di un'ora e Tom era Dio sa dove. Mi sono svegliato
l'etere con una sensazione di totale abbandono,e chiese all'infermiera di
avere ragione
via se fosse un maschio o una femmina. Mi ha detto che era una femmina,
e così anch'io
ho voltato la testa e ho pianto. " Va bene , " dissi," sono felice che sia
così
ragazza. E spero che sia una sciocca : questa è la cosa migliore che una
ragazza possa essere
in questo mondo,un bellissimo piccolo sciocco. '

" Vedi,penso che, comunque sia tutto terribile"continuò in a
modo convinto. " Tutti la pensano così ,anche le persone più avanzate. E io
Sapere. Sono stato ovunque,ho visto tutto e ho fatto tutto. "
I suoi occhi guizzarono intorno a lei in modo provocatorio,un po' come quelli
di Tom , e
rise con emozionante disprezzo. » Sofisticato ... Dio,lo sono
sofisticato! "

Nell'istante in cui la sua voce si interruppe,cessando di attirare la mia
attenzione,mio
convinzione,ho sentito la fondamentale insincerità di ciò che aveva detto. Mi
ha creato
a disagio,come se tutta la serata fosse stata una specie di scherzo
esigi un'emozione contributiva da parte mia. Ho aspettato,e infatti,in a
momento in cui mi ha guardato con un sorriso assoluto sul suo bel viso,
come
se avesse affermato la sua appartenenza a un segreto piuttosto illustre
società a cui appartenevano lei e Tom.

-- ---------------------

All'interno,la stanza cremisi risplendeva di luce. Tom e la signorina Baker
erano seduti
alle due estremità del lungo divano e lei gli lesse ad alta voce dal
Saturday Evening Post : le parole,mormorate e inflessibili,corrono
insieme in una melodia rilassante. La luce della lampada,brillante sui suoi
stivali e
opaco sul giallo delle foglie autunnali dei suoi capelli,scintillava sulla carta
come
volto una pagina con un battito di muscoli sottili tra le braccia.

Quando siamo entrati ci ha tenuti in silenzio per un momento con la mano
alzata.

" Continua " ,disse,gettando la rivista sul tavolo," in
il nostro prossimo numero. "

Il suo corpo si affermava con un movimento irrequieto del ginocchio,e lei
si alzò.

" Le dieci in punto " ,osservò,apparentemente trovando l'ora sul
soffitto. " È ora che questa brava ragazza vada a letto. "

" Jordan giocherà il torneo domani," spiegò Daisy,
" Laggiù a Westchester. "

» Oh ... tu sei Jordan Baker. "

Adesso sapevo perché il suo viso mi era familiare : è piacevolmente
sprezzante
l'espressione mi aveva guardato da molte immagini rotocalco del
vita sportiva ad Asheville,Hot Springs e Palm Beach. Avevo sentito
anche qualche storia su di lei,una storia critica e spiacevole,ma di cosa si
trattava io
aveva dimenticato da tempo.

Buonanotte " ,disse dolcemente. » Svegliami alle otto,non è vero? "

Se ti alzerai . "

Lo farò. Buonanotte,signor Carraway. Ci vediamo presto. "

Certo che lo farai " ,confermò Daisy. " In effetti penso che organizzerò
atrimonio, Vieni spesso,Nick,e in un certo senso ti lancerò
sieme. Sai ,ti chiudi accidentalmente negli armadi della biancheria e spingi
in mare su una barca,e cose del genere ...»

Buonanotte " ,disse la signorina Baker dalle scale. Non " ho sentito a
arola. "

È una brava ragazza » ,disse Tom dopo un momento. Non »
ovrebbero permetterlo
correva per il paese in questo modo. "

Chi non dovrebbe farlo ? - chiese freddamente Daisy.

La sua famiglia. "

La sua famiglia è composta da una zia di circa mille anni. Inoltre,quello di
ick
prenderai cura di lei,non è vero ,Nick? Spenderà molto
fine settimana qui quest'estate. Penso che l'influenza domestica lo sarà
olto bene per lei. "

aisy e Tom si guardarono per un momento in silenzio.

Lei è di New York? " ho chiesto velocemente.

Da Louisville. La nostra infanzia bianca è stata trascorsa insieme lì.
ostro
ellissimo bianco ..."

Hai fatto a Nick un breve discorso a cuore aperto sulla veranda? "
iese Tom all'improvviso.

l'ho fatto? " Mi guardò. Non " riesco a ricordare,ma penso che noi
parlato della razza nordica. Si,ne sono sicuro. In un certo senso si è
sinuato
di noi e la prima cosa che sai ..."

Non credere a tutto quello che senti,Nick " ,mi consigliò.

o detto con leggerezza che non avevo sentito nulla,e pochi minuti
tardi mi sono alzato per andare a casa. Vennero con me alla porta e si
rmarono
nco a fianco in un allegro quadrato di luce. Quando ho avviato il motore
aisy gridò perentoriamente. " Aspetta!

Ho dimenticato di chiederti una cosa,ed è importante . Abbiamo sentito
e lo eri
anzato con una ragazza dell'Ovest. "

Esatto « ,confermò gentilmente Tom . " Abbiamo sentito che lo eri
pegnato. "

E ' una diffamazione. Sono troppo povero . "

Ma l'abbiamo sentito " ,insistette Daisy,sorprendendomi riaprendo
modo simile a un fiore. " Lo abbiamo sentito da tre persone,quindi deve
sere così
ERO. "

Il grande Gatsby

Naturalmente sapevo a cosa si riferivano,ma non lo sapevo nemmeno vagamente fidanzato. Il fatto che i pettegolezzi avessero pubblicato le pubblicazioni era uno di questi
delle ragioni per cui ero venuto in Oriente. Non puoi smettere di andare con un vecchio
amico a causa delle voci,e d'altra parte non ne avevo intenzione di essere vociferate sul matrimonio.

Il loro interesse mi ha piuttosto toccato e li ha resi meno lontani ricco ,tuttavia ero confuso e un po' disgustato mentre guidavo lontano. Mi sembrava che la cosa migliore da fare per Daisy fosse correre fuori
della casa,bambino in braccio - ma a quanto pare non ce n'erano intenzioni nella sua testa. Quanto a Tom,il fatto che " avesse una donna a New York " fu davvero meno sorprendente di quanto lo fosse stato in precedenza
depresso da un libro. Qualcosa gli faceva mordicchiare il bordo idee stantie,come se il suo robusto egoismo fisico non nutrisse più il suo cuore perentorio.

Era già estate profonda sui tetti delle locande e davanti ai bordi della strada
garage,dove nuove pompe di benzina rosse sedevano in pozze di luce,e quando ho raggiunto la mia tenuta a West Egg ho messo la macchina sotto la rimessa e
si sedette per un po' su un rullo d'erba abbandonato nel cortile. Il vento aveva
volato via,lasciando una notte forte e luminosa,con le ali che battono nel gli alberi e un organo persistente risuonano come il mantice pieno della terra
fece esplodere le rane piene di vita. La sagoma di un gatto in movimento vacillò
al chiaro di luna,e,voltando la testa per guardarlo,vidi che io
non era solo : a una quindicina di metri di distanza una figura era emersa dall'ombra di
del mio vicino e stava con le mani in tasca
riguardo al pepe argentato delle stelle. Qualcosa nel suo piacevole suggerivano i movimenti e la posizione sicura dei piedi sul prato che era il signor Gatsby in persona,venuto fuori per determinare quale fosse la quota.
i suoi cieli locali.

Ho deciso di chiamarlo. La signorina Baker ne aveva parlato a cena,e.., sarebbe adatto per una presentazione. Ma non l'ho chiamato ,per lui diede un'improvvisa impressione che era contento di stare solo - si stiracchiò
allungò le braccia verso l'acqua scura in un modo curioso,e,per quanto fos da lui avrei giurato che stesse tremando. Involontariamente lanciai un'occhiata
verso il mare - e non distingueva nulla tranne un'unica luce verde,minuscol e molto lontano,quella avrebbe potuto essere l'estremità di un molo. Quando ho guardato
ancora una volta per Gatsby era scomparso,e io ero di nuovo solo nella oscurità inquieta.

II

Circa a metà strada tra West Egg e New York l'autostrada corre frettolosamente
si unisce alla ferrovia e la costeggia per un quarto di miglio,così come allontanarsi da una certa zona desolata di terra. Questa è una valle di cenere - una fattoria fantastica dove le ceneri crescono come il grano creste e
colline e giardini grotteschi; dove le ceneri prendono le forme delle case e camini e fumo che sale e,infine,con uno sforzo trascendente,di uomini grigio cenere,che si muovono debolmente e già sgretolati nella polvere
aria. Di tanto in tanto una fila di auto grigie striscia lungo un binario invisibile

Il grande Gatsby

mette un cigolio spaventoso,si ferma,e immediatamente il
omini grigio cenere sciamano con vanghe di piombo e sollevano un
npenetrabile
uvola,che nasconde alla tua vista le loro oscure operazioni.

Ma sopra la terra grigia e gli spasmi di polvere cupa che fluttuano
nfinitamente sopra di esso,si percepiscono,dopo un attimo,gli occhi del
ottor T.
, Eckleburg. Gli occhi del dottor TJ Eckleburg sono blu e
iganteschi : le loro retine sono alte un metro. Sembrano senza volto,
na,invece,da un paio di enormi occhiali gialli che passano
u un naso inesistente. Evidentemente qualche tipo sconsiderato di un
culista
oro li per ingrassare la sua attività nel quartiere del Queens,e poi
profondava lui stesso nella cecità eterna,oppure li dimenticava e si
ommuoveva
ntano. Ma i suoi occhi,offuscati un po' dai tanti giorni senza vernice,sotto
sole
la pioggia,rimugina sulla solenne discarica.

a valle delle ceneri è delimitata da un lato da un piccolo fiume ripugnante e,
uando il ponte levatoio è alzato per far passare le chiatte,salgono i
asseggeri
treni In attesa possono fissare la scena lugubre per tutto il tempo
ra. C'è sempre una sosta di almeno un minuto,e così è stato
per questo motivo che ho incontrato per la prima volta l'amante di Tom
Buchanan .

iul fatto che ne avesse uno si insisteva ovunque lo conoscessero. Il suo
conoscenti si risentivano del fatto che si presentasse nei caffè popolari
on lei e,lasciandola al tavolo,gironzolò qua e là chiacchierando
hiunque conoscesse. Sebbene fossi curioso di vederla,non ne avevo alcun
esiderio
er incontrarla ,ma l'ho fatto. Sono andato a New York con Tom sul treno
omeriggio,e quando ci fermammo presso i mucchi di cenere balzò in piedi
afferrandomi per il gomito,mi ha letteralmente costretto a scendere
all'auto.

Scendiamo » insistette . " _ Voglio che tu conosca la mia ragazza. "

Credo che a pranzo avesse fatto il pieno,oltre alla sua determinazione
vere la mia compagnia al limite della violenza. L'ipotesi arrogante
ra che domenica pomeriggio non avevo niente di meglio da fare.

ho seguito oltre un basso recinto ferroviario imbiancato e abbiamo
amminato
dietro di un centinaio di metri lungo la strada sotto la casa del dottor
ckleburg
guardo persistente. L'unico edificio in vista era un piccolo isolato di
iattone giallo seduto sul bordo del terreno desolato,una sorta di
ompatto
Main Street lo assiste e non è contiguo a nulla.
no dei tre negozi che conteneva era in affitto e un altro era un negozio
storante aperto tutta la notte,raggiungibile tramite una scia di cenere; il
erzo era a
arage — Riparazioni. George B. Wilson. Auto comprate e vendute. - e io
ho seguito
om dentro.

nterno era povero e spoglio; l'unica macchina visibile era la
relitto coperto di polvere di una Ford accovacciato in un angolo buio. Esso
eva
ni è venuto in mente che quest'ombra di un garage doveva essere una
enda,e quello
ontuosi e romantici appartamenti si celavano in alto,quando il
proprietario stesso apparve sulla porta di un ufficio,asciugandosi le mani
n un pezzo di scarto. Era un uomo biondo,senza spirito,anemico e...
agamente bello. Quando ci vide,un umido barlume di speranza balenò nel
uo

occhi azzurri.

» Ciao,Wilson,vecchio mio » ,disse Tom,dandogli allegramente una pacca sulla sedia
spalla. " Come vanno gli affari? "

Non " posso lamentarmi " ,rispose Wilson in modo poco convincente. " Quando sei
mi venderai quella macchina? "

" La prossima settimana; Adesso il mio uomo ci sta lavorando. "

" Funziona piuttosto lentamente,vero ? "

» No,non lo fa » disse freddamente Tom. " E se la pensi così,
forse,dopo tutto,è meglio venderlo da qualche altra parte. "

" Non intendo dire questo " ,spiegò rapidamente Wilson. " Volevo solo dire ..."

La sua voce si spense e Tom si guardò intorno con impazienza.
Poi ho sentito dei passi sulle scale,e in un attimo un forte rumore
la figura di una donna oscurava la luce proveniente dalla porta dell'ufficio. Lei era
sui trentacinque anni,e leggermente robusta,ma portava la sua carne
sensualmente come fanno alcune donne. Il suo viso,sopra un vestito maculato scuro
blu crê pe -de-chine,non conteneva alcun aspetto o barlume di bellezza,se non li
era una vitalità immediatamente percepibile in lei,come se i nervi di
il suo corpo era continuamente in fiamme. Sorrise lentamente e, camminando
attraverso suo marito ,come se fosse un fantasma,strinse la mano a Tom, guardandolo dritto negli occhi. Poi si bagnò le labbra,e senza
voltandosi disse al marito con voce dolce e roca:

» Prendi delle sedie,perché no , così qualcuno può sedersi. "

" Oh,certo," concordò in fretta Wilson,e si avvicinò al piccolo
ufficio,fondendosi immediatamente con il colore cemento delle pareti. UN
la polvere bianca di cenere velava il suo abito scuro e i suoi capelli chiari mentre velavano
tutto nelle vicinanze ,tranne sua moglie,che si è avvicinata a Tom.

" Voglio vederti " ,disse Tom intensamente. " Sali sul prossimo treno. "

" Va bene. "

» Ci vediamo all'edicola al piano inferiore. "

Lei annuì e si allontanò da lui proprio mentre George Wilson emergeva con lui
due sedie dalla porta del suo ufficio.

L'abbiamo aspettata in fondo alla strada,fuori dalla vista. Sono passati alcuni giorni
prima del 4 luglio,e c'era un bambino italiano grigio e magro
posizionando i siluri in fila lungo i binari della ferrovia.

» Un posto terribile,non è vero ? » disse Tom,scambiando un'occhiata accigliata con il dottore
Eckleburg.

" Terribile. "

" Le fa bene andarsene. "

Suo marito » non si oppone? "

Wilson? Pensa che vada a trovare sua sorella a New York. Lui é così tupido,non sa di essere vivo. "

Quindi Tom Buchanan,la sua ragazza e io siamo andati insieme a New York oppure no
el tutto insieme,perché la signora Wilson sedeva discretamente in n'altra macchina, Tom
metteva tutto alla sensibilità di quegli East Eggers che avrebbero potuto arlo
ssere sul treno.

i era cambiata il vestito,indossandone uno di mussola fantasia marrone, he si allargò
tretta sui suoi fianchi piuttosto larghi mentre Tom la aiutava a salire sulla attaforma
ew York. All'edicola comprò una copia di Town Tattle e un vista di cinema e nella farmacia della stazione un po' di crema fredda una piccola boccetta di profumo. Di sopra,nel solenne viale echeggiante scio partire quattro taxi prima di sceglierne uno nuovo, olor lavanda con tappezzeria grigia,e da questa scivolammo fuori massa della stazione nella luce del sole splendente. Ma subito lei volto bruscamente dalla finestra e,sporgendosi in avanti,busso al ulsante
etro anteriore.

Voglio prendere uno di quei cani " ,disse con sincerità. " Voglio ottenere no per l'appartamento. E bello avere un cane. "

bbiamo fatto marcia indietro fino a un vecchio grigio che aveva n'assurda somiglianza con John
.Rockefeller. In una cesta che gli pendeva dal collo se ne rannicchiavano na dozzina
uccioli recenti di razza indeterminata.

Che tipo sono? " chiese con entusiasmo la signora Wilson,mentre si vvicinava al
nestrino del taxi.

Tutti i tipi. Che tipo vuoi,signora? "

Mi piacerebbe prendere uno di quei cani poliziotto; Non credo che tu obia capito
del tipo? "

uomo sbirciò dubbioso nel cestino,gli immerse la mano e e sollevò uno,dimenandosi,per la nuca.

Quello non è un cane poliziotto " ,disse Tom.

No,non è esattamente un cane poliziotto " ,disse l'uomo con disappunto ella sua voce. " E ' più un Airedale. " Passò la mano sul raccio marrone di una schiena. " Guarda quel cappotto. Un po' di appotto. Quello è un cane
esto non ti disturberà mai prendendo il raffreddore. "

Penso che sia carino " ,ha detto la signora Wilson con entusiasmo. " uant'è
sso? "

Quel cane? Lo guardò con ammirazione. " Quel cane ti costerà dieci ollari. "

Airedale : senza dubbio c'era un Airedale coinvolto a qualche parte,anche se i suoi piedi erano sorprendentemente bianchi - asso di mano e
sistemò sulle ginocchia della signora Wilson ,dove accarezzò il appotto resistente alle intemperie con rapimento.

E 'un ragazzo o una ragazza? " chiese delicatamente.

" Quel cane? Quel cane è un ragazzo. "

" E ' una stronza," disse Tom deciso. » Ecco i tuoi soldi. Vai e compra con sé altri dieci cani. "

Guidammo fino alla Fifth Avenue,calda e morbida,quasi pastorale,sul... domenica pomeriggio estiva. Non sarei stato sorpreso di vedere un grande gregge di pecore bianche gira l'angolo.

" Aspetta " ,dissi," devo lasciarti qui. "

» No ,non lo farai » intervenne subito Tom. » Myrtle si farà male se tu non venire all'appartamento. Non è vero,Myrtle? "

" Andiamo " ,lo esortò. » Telefonerò a mia sorella Catherine. Ha detto _ essere molto bella da parte di persone che dovrebbero saperlo. "

» Beh,mi piacerebbe ,ma ...»

Proseguimmo tagliando di nuovo sul Parco verso i West Hundreds. Alla 158esima Strada il taxi si fermò davanti a una fetta di una lunga torta bianca condomini. Lanciare uno sguardo regale da ritorno a casa in giro quartiere,la signora Wilson raccolse il suo cane e l'altro acquisti,ed entro altezzosamente.

" Farò venire i McKee " ,annunciò mentre ci alzavamo l'ascensore. » E,naturalmente,devo chiamare anche mia sorella. "

L'appartamento era all'ultimo piano : un piccolo soggiorno,un piccolo sala da pranzo,una piccola camera da letto e un bagno. Il soggiorno era affollato alle porte con una serie di mobili ricoperti di arazzi del tutto troppo grandi per esso,tanto che muoversi significava inciampare continuamente nelle scene di dame che dondolano nei giardini di Versailles. L'unica foto era una fotografia eccessivamente ingrandita,apparentemente una gallina seduta su una roccia sfocata. Guardata da lontano,però,la gallina si risolveva in a cofano,e il volto di una vecchia signora robusta si irradiava verso il basso camera. Sul tavolo c'erano diverse vecchie copie del Town Tattle. una copia di Simone detto Pietro e alcune piccole riviste scandalistiche di Broadway. La signora Wilson si preoccupò innanzitutto del cane. Un riluttante il ragazzo dell'ascensore andò a prendere una scatola piena di paglia e del latte,alla quale lui aggiunse di sua iniziativa una scatola di biscotti per cani grandi e duri - uno dei che si decompose apaticamente nel piattino del latte tutto pomeriggio. Nel frattempo Tom tirò fuori una bottiglia di whisky da una porta chiusa a chiave porta dell'ufficio.

Mi sono ubriacato solo due volte nella mia vita,e la seconda volta è stata quella pomeriggio; quindi tutto quello che è successo ha un'ombra vaga e confusa su di esso, anche se fino a dopo le otto 'l appartamento era pieno di allegria sole. Seduta sulle ginocchia di Tom ,la signora Wilson chiamò diverse persone telefono; poi non c'erano sigarette e sono uscito a comprarne alcune alla farmacia all'angolo. Quando sono tornato li avevano entrambi scomparve,così mi sedetti discretamente in soggiorno e lessi un capitolo di Simone detto Pietro : o era roba terribile oppure il il whisky distorceva le cose,perché per me non aveva alcun senso.

Il grande Gatsby

Proprio come Tom e Myrtle (dopo il primo drink,io e la signora Wilson abbiamo chiamato chiamandoci per nome) ricomparvero,cominciò ad arrivare compagnia alla porta dell'appartamento.

La sorella,Caterina,era una ragazza snella e mondana sulla trentina, con un solido,appiccicoso caschetto di capelli rossi e una carnagione incipriata come il latte bianco. Le sue sopracciglia erano state depilate e poi ridisegnate di nuovo angolo sbarazzino,ma gli sforzi della natura verso il ripristino del vecchio allineamento dava un'aria sfocata al suo viso. Quando si muoveva c'era un clic incessante come innumerevoli braccialetti di ceramica tintinnava su e giù sulle sue braccia. È entrata con un tale proprietario retta,e guardai i mobili in modo così possessivo,che io si chiedeva se vivesse qui. Ma quando gliel'ho chiesto lei ha riso smodatamente,ha ripetuto la mia domanda ad alta voce e mi ha detto che viveva con a ragazza in un hotel.

Il signor McKee era un uomo pallido e femminile dell'appartamento di sotto. Aveva appena rasato,perché c'era una macchia bianca di schiuma sul suo zigomo,e lui è stato molto rispettoso nel salutare tutti i presenti nella stanza. Lui mi ha informato che era nel " gioco artistico " ,e l'ho capito più tardi che era un fotografo e di cui aveva fatto il debole ingrandimento della signora Wilson che aleggiava come un ectoplasma sul muro. Il suo a moglie era stridula,languida,bella e orribile. Me lo ha detto con orgoglio che suo marito l'avesse fotografata centoventisette anni volte da quando si erano sposati.

La signora Wilson aveva cambiato il suo costume qualche tempo prima,e o era adesso vestito con un elaborato abito da pomeriggio di chiffon color crema, che emetteva un fruscio continuo mentre si aggirava per la stanza. Con influenza dell'abito aveva subito anche la sua personalità modifica. L'intensa vitalità che era stata così notevole nel garage è stato convertito in un'impressionante hauteur. Le sue risate,i suoi gesti,lei e affermazioni diventavano più violentemente influenzate di momento in momento,e man mano che lei si espanse,la stanza si rimpiccioli intorno a lei,finché sembrò esserlo che girava su un perno rumoroso e scricchiolante nell'aria fumosa.

" Mia cara " ,disse a sua sorella con un grido acuto e affettato," la maggior parte questi ragazzi ti tradiranno ogni volta. Tutto ciò a cui pensano è il denaro.

C'era una donna quassù la scorsa settimana per guardarmi i piedi,e quando mi ha dato conto che **pensavi** che mi avesse tolto l'appendicite. "

" Come si chiamava la donna? chiese la signora McKee.

" Signora Eberhardt. Va in giro a guardare i piedi della gente **nei** propri e case. "

" Mi piace il tuo vestito " ,osservò la signora McKee," penso che **sia** adorabile. "

La signora Wilson respinse il complimento alzando il sopracciglio con disprezzo.

" È **semplicemente** una vecchia cosa pazzesca " ,ha detto. " A volte lo infilo e basta quando non mi **interessa** che aspetto ho. "

" Ma ti sta benissimo,se capisci cosa intendo " ,continuò la signora. McKee. " Se solo Chester riuscisse a metterti in quella posa,penso che potrebbe farlo farne qualcosa. "

Guardammo tutti in silenzio la signora Wilson,che si tolse una ciocca di capelli
da sopra i suoi occhi e ci guardò con un sorriso brillante. Sig.
McKee la guardò attentamente con la testa inclinata di lato,poi si mosse
la mano avanti e indietro lentamente davanti al viso.

" Dovrei cambiare la luce " ,disse dopo un momento. " Mi piacerebbe _
far emergere la modellazione delle caratteristiche. E proverei a contattarlo
tutti i capelli dietro. "

" Non penserei di cambiare la luce " ,esclamò la signora McKee. " Penso
suo - " _

Suo marito ha detto " : Sh! " e tutti abbiamo riconsiderato l'argomento,
al che Tom Buchanan sbadigliò sonoramente e si alzò in piedi.

» Voi McKees,avete qualcosa da bere » ,disse. " Prendi dell'altro ghiaccio e
acqua minerale,Myrtle,prima che tutti vadano a dormire. "

" Ho detto a quel ragazzo del ghiaccio. Myrtle inarcò le sopracciglia
disperata
all'impotenza degli ordini inferiori. " Queste persone! Si deve
tenerli dietro tutto il tempo. "

Lei mi guardò e rise inutilmente. Poi balzò verso
il cane,lo baciò con estasi e corse in cucina,lasciando intendere
che lì una dozzina di chef aspettavano i suoi ordini.

" Ho fatto delle belle cose a Long Island " ,ha affermato il signor McKee.

Tom lo guardò senza capire.

" Due di loro li abbiamo inquadrati al piano di sotto. "

" Due cosa? " chiese Tom.

" Due studi. Uno di loro lo chiamo Montauk Point - The Gulls,e il
l'altro lo chiamo Montauk Point : il mare. "

La sorella Caterina si sedette accanto a me sul divano.

» Vivi anche tu a Long Island? ",chiese.

" Vivo a West Egg. "

" Veramente? Ero lì ad una festa circa un mese fa. A un uomo di nome
di Gatsby . Lo conosci? "

" Abito accanto a lui. "

» Beh,dicono che sia un nipote o un cugino del Kaiser Guglielmo . Quello
è
da dove provengono tutti i suoi soldi. "

" Veramente? "

Lei annuì.

» Ho paura di lui. Detesterei che mi desse qualcosa. "

Queste interessanti informazioni sul mio vicino furono interrotte dalla Sig.
McKee indica improvvisamente Catherine:

" Chester,penso che potresti fare qualcosa con lei " ,scoppiò,ma
Il signor McKee si limitò ad annuire annoiato e rivolse la sua attenzione a
Tom.

Mi piacerebbe lavorare di più a Long Island,se potessi ottenere
scrizione.
utto quello che chiedo è che mi diano un inizio. "

Chiedilo a Myrtle » ,disse Tom,scoppiando in una breve risata
a signora Wilson entrò con un vassoio. Ti " darà una lettera di
'esentazione,non è vero,Myrtle? "

Fare? " chiese,sorpresa.

Darai a McKee una lettera di presentazione a tuo marito,così potrà farlo
are alcuni studi su di lui. " Le sue labbra si mossero silenziosamente per
n momento mentre lui
ventato,"" George B. Wilson alla pompa di benzina , " o qualcosa del
enere.
uello. "

atherine si avvicinò a me e mi sussurrò all'orecchio:

Nessuno dei due sopporta la persona con cui è sposato. "

on » possono ? "

Non li sopporto . Guardò Myrtle e poi Tom. " Quello che dico
oè perché continuare a vivere con loro se non li sopportano? Se fossi in
ro
ivorzierei e ci sposeremo subito. "

Non piace neanche a lei Wilson? "

a risposta a questa domanda era inaspettata. Veniva da Myrtle,che
aveva fatto
entito la domanda,ed era violenta e oscena.

Vedi? » ,esclamò trionfante Catherine. Abbassò di nuovo la voce.
È proprio sua moglie che li tiene separati. Lei è cattolica e...
on credono nel divorzio. "

aisy non era cattolica e ne rimasi un po' scioccato
omplessità della menzogna.

Quando si sposeranno » ,continuò Catherine,» andranno Ovest'all
vere per un po' finché non svanisce. "

Sarebbe più discreto andare in Europa. "

Oh,ti piace l'Europa? " esclamò sorprendentemente. " Sono appena
rnato
a Montecarlo. "

Veramente. "

Proprio l'anno scorso. Sono andato lì con un'altra ragazza. "

Rimanere a lungo? "

No,siamo solo andati a Monte Carlo e ritorno. Siamo andati di là
arsiglia. Avevamo più di milleduecento dollari quando abbiamo iniziato,ma
oi
e sono uscito fuori in due giorni nelle stanze private. Abbiamo avuto un
un momento terribile per il ritorno,te lo posso assicurare. Dio,quanto
iavo quella città! "

cielo del tardo pomeriggio sbocciò per un attimo nella finestra come il
iele azzurro del Mediterraneo — poi la voce stridula della signora McKee
i ha richiamato nella stanza.

Il grande Gatsby

" Ho quasi commesso un errore anch'io " ,dichiarò vigorosamente. " Io quasi ho sposato un ragazzino ebreo che mi stava dietro da anni. Sapevo che lo era sotto di me. Tutti mi dicevano: " Lucille,quell'uomo è laggiù", Voi! " Ma se non avessi incontrato Chester,mi avrebbe sicuramente preso. "

" Sì,ma ascolta " ,disse Myrtle Wilson,annuendo con la testa su e giù,
» Almeno non l' hai sposato. "

" Lo so,non l'ho fatto . "

" Beh,l'ho sposato " ,disse Myrtle,ambiguamente. " E questo è il differenza tra il tuo caso e il mio. "

» Perché l'hai fatto,Myrtle? ",chiese Caterina. " Nessuno ti ha costretto a farlo. "

Myrtle rifletté.

" L'ho sposato perché pensavo che fosse un gentiluomo " ,ha detto Finalmente. » Pensavo che sapesse qualcosa sull'allevamento,ma non lo era pronto a leccarmi la scarpa. "

" Sei stata pazza di lui per un po '" ,disse Catherine.

" Pazzo di lui! - esclamò Myrtle incredula, " Chi ha detto che ero pazzo su di lui? Non sono mai stato più pazzo di lui di quanto lo fossi per quello uomo lì. "

All'improvviso mi indicò e tutti mi guardarono con aria accusatoria. IO cercai di dimostrare con la mia espressione che non mi aspettavo alcun affetto.

" L'unico pazzo che sono stato è stato quando l'ho sposato. Ho capito subito di averlo fatto. un errore. Ha preso in prestito l'abito migliore di qualcuno per sposarsi, e... non me ne aveva mai nemmeno parlato,e quell'uomo venne a cercarlo un giorno in cui lui era fuori: " Oh,è quello il tuo vestito? ' Ho detto. ' Questa è la prima volta in assoluto ne ho sentito parlare. ' Ma gliel'ho dato e poi mi sono sdraiato e ho pianto battere la band per tutto il pomeriggio. "

» Dovrebbe proprio allontanarsi da lui » ,riprese Catherine.
» Vivono sopra quel garage da undici anni. E Tom è il il primo tesoro che abbia mai avuto. "

La bottiglia di whisky ,una seconda ,era ormai costantemente richiesta da tutti presenti,tranne Catherine,che " si sentiva altrettanto bene con niente Tutto. Tom chiamò il custode e lo mandò a festeggiare panini,che costituivano già di per sé una cena completa. volevo esci e cammina verso est,verso il parco,nel tenue crepuscolo, ma ogni volta che cercavo di andarci restavo intrappolato in qualcosa di selvaggio,stridente. discussione che mi tirava indietro,come con delle corde,sulla sedia. Ancora in alto sopra la città la nostra fila di finestre gialle deve aver contribuito la loro parte di segretezza umana all'osservatore casuale nell'oscurità strade,e l'ho visto anch'io,alzare lo sguardo e meravigliarsi. Ero dentro e senza,allo stesso tempo incantato è disgustato dall'inesauribile varietà di vita.

Myrtle avvicinò la sua sedia alla mia e all'improvviso il suo respiro caldo mi ha raccontato la storia del suo primo incontro con Tom.

" Era sui due seggiolini uno di fronte all'altro che sono sempre i
gli ultimi rimasti sul treno. Stavo andando a New York per vedere il mio
sorella e passare la notte. Indossava un abito elegante e pelle verniciata
scarpe,e non riuscivo a staccargli gli occhi di dosso,ma ogni volta che
guardava
contro di me ho dovuto fingere di guardare l'annuncio sopra il suo
testa. Quando siamo entrati nella stazione era accanto a me,e il suo
bianco
lo stemma della camicia mi premeva contro il braccio e allora gli ho detto
che dovevo chiamare
un poliziotto,ma sapeva che avevo mentito. Ero così emozionato che
quando sono entrato
In taxi con lui non sapevo quasi che non sarei entrata in una
metropolitana
treno. Tutto quello a cui continuavo a pensare,ancora e ancora,era Non " :
puoi vivere".

per sempre; non puoi vivere per sempre. '"

Si rivolse alla signora McKee e la stanza risuonò piena del suo artificiale
risata.

" Mio caro " ,esclamò,ti " darò questo vestito non appena avrò
basta. Domani devo prenderne un altro. Sto andando a
fare un elenco di tutte le cose che devo procurarmi . Un massaggio e
un'onda,
e un collare per il cane,e uno di quei graziosi posacenere dove
occhi una molla e una ghirlanda con un fiocco di seta nera per quella della
mamma
tomba che durerà tutta l'estate. Devo scrivere una lista,quindi non lo farò
dimenticare tutte le cose che devo fare. "

Erano le nove : quasi subito dopo guardai l'orologio
e scoprii che erano le dieci. Il signor McKee dormiva su una sedia con i
pugni
stretto in grembo,come la fotografia di un uomo d'azione. Tirando fuori
col mio fazzoletto gli asciugai dalla guancia la macchia di schiuma secca
che c'era
mi aveva preoccupato per tutto il pomeriggio.

cagnolino era seduto sul tavolo e guardava con gli occhi ciechi
attraverso il fumo,e di tanto in tanto geme debolmente. Persone .
compariva,riappariva,progettava di andare da qualche parte e poi si
perdeva
un l'altro,si cercarono,si ritrovarono a pochi metri
lontano. Verso mezzanotte Tom Buchanan e la signora Wilson si alzarono
discutendo faccia a faccia,con voci appassionate,se la signora Wilson
aveva il diritto di menzionare il nome di Daisy .

Margherita! Margherita! Margherita! " gridò la signora Wilson. Lo " dirò
ogni volta che avrò
volere! Margherita! Dai ..."

Facendo un breve movimento abile,Tom Buchanan le ruppe il naso con il
suo
mano aperta.

Poi c'erano asciugamani insanguinati sul pavimento del bagno e quelli delle
donne
voci di rimprovero,e alto sopra la confusione un lungo lamento spezzato
dolore. Il signor McKee si svegliò dal suo sonno e si avviò stordito verso il
porta. Quando fu arrivato a metà strada si voltò e fissò il
scena - sua moglie e Catherine che rimproverano e consolano mentre
inciampavano
qua e là tra i mobili affollati di articoli di soccorso,e
a figura disperata sul divano,che sanguinava copiosamente e che tentava
di farlo
diffondere una copia di Town Tattle sulle scene degli arazzi di
Versailles. Poi il signor McKee si voltò e proseguì fuori dalla porta.

Presi il cappello dal lampadario e lo seguii.

" Vieni a pranzo un giorno " ,suggerì,mentre gemevamo in sala ascensore.

" Dove? "

" Ovunque. "

» Tenete le mani lontane dalla leva » ,sbottò l'addetto all'ascensore.

" Chiedo scusa " ,disse il signor McKee con dignità," non sapevo di essere toccandolo. "

» Va bene » ,concordai,» ne sarò felice. "

.. Ero in piedi accanto al suo letto e lui era seduto in mezzo al lenzuola,in mutande,con una grande cartella tra le mani.

" La Bella e la Bestia ... La solitudine ... Il vecchio cavallo della drogheria ... Ruscello, n
Ponte ..."

Poi giacevo mezzo addormentato nel freddo piano inferiore del Pennsylvania Station,fissando il Tribune mattutino e aspettando il treno delle . quattro

III

notti d'estate arrivava la musica dalla casa del mio vicino .
Nei suoi giardini azzurri uomini e ragazze andavano e venivano come falene tra gli alberi
sussurri e lo champagne e le stelle. Con l'alta marea nel
pomeriggio osservavo i suoi ospiti tuffarsi dalla torre della sua zattera, oppure
prendendo il sole sulla sabbia calda della sua spiaggia mentre i suoi due motoscafi
fendirono le acque del Sound,attirando acquaplani sulle cataratte
schiuma. Nei fine settimana la sua Rolls-Royce diventava un omnibus,pieno di feste
da e per la città tra le nove del mattino e molto tempo fa
mezzanotte,mentre la sua station wagon correva come un vivace insetto giallo
incontra tutti i treni. E il lunedì otto servitori,compreso un extra
giardiniere,lavorava tutto il giorno con spazzoloni,spazzoloni e martelli
e cesoie da giardino,che riparavano i danni della notte prima.

Ogni venerdì arrivavano cinque casse di arance e limoni da a
fruttivendolo di New York : ogni lunedì partivano quelle stesse arance e limoni
la sua porta sul retro in una piramide di metà senza polpa. C'era una macchina dentro
la cucina dove si poteva estrarre il succo di duecento arance
mezz'ora se un bottoncino fosse premuto duecento volte da a
del maggiordomo .

Almeno una volta ogni quindici giorni un gruppo di ristoratori ne scendeva parecchi
cento piedi di tela e abbastanza luci colorate per creare un Natale .
albero dell'immenso giardino di Gatsby . Sui tavoli del buffet,guarnito con
scintillanti antipasti ,prosciutti al forno speziati affollati contro insalate di
disegni di arlecchino, e maialini e tacchini stregati dal buio
oro. Nella sala principale è stato allestito un bar con una vera ringhiera in ottone,e
rifornito di gin e liquori e di cordiali dimenticati da così tanto tempo
la maggior parte delle sue ospiti donne erano troppo giovani per distinguersi.

Il grande Gatsby

lle sette 'l orchestra è arrivata,non una sottile faccenda di cinque
elementi,
a un mucchio di oboi,tromboni,sassofoni,viole e...
ornette e ottavini e tamburi bassi e alti, Gli ultimi nuotatori hanno
eni adesso dalla spiaggia e vai a vestirti di sopra; le auto da
lew York sono parcheggiate cinque in fila nel vialetto,e già i corridoi e
saloni e le verande sono sgargianti con i colori primari e i capelli raccolti
trani nuovi modi e scialli oltre i sogni di Castiglia. Il bar è
pieno svolgimento e giri fluttuanti di cocktail permeano il giardino
ori,finché l'aria non si fa viva di chiacchiere e risate,e disinvolte
lusioni e presentazioni dimenticate sul posto,ed entusiastiche
contri tra donne che non si conoscevano mai per nome.

e luci diventano più luminose mentre la terra si allontana dal sole,e
ra l'orchestra suona musica da cocktail gialla e l'opera di
voci hanno una tonalità più alta. La risata è più facile minuto dopo minuto,
ersato con prodigalità,rovesciato con una parola allegra. I gruppi
ambiare più rapidamente,gonfiarsi di nuovi arrivi,dissolversi e formarsi nel
tesso respiro; già ci sono viandanti,fanciulle sicure che tessono
ua e là tra i più robusti e stabili,divenuti per un acuto,
omento gioioso al centro di un gruppo,e poi,emozionato dal trionfo,
civola attraverso il cambiamento marino di volti,voci e colori sottostanti
luce in continuo cambiamento.

ll'improvviso uno di questi zingari,in tremante opale,afferra un cocktail
all'aria,lo butta giù per farsi coraggio e,muovendo le mani come
risco,balla da solo sulla piattaforma di tela. Un silenzio momentaneo; IL
direttore dell'orchestra varia cortesemente il suo ritmo per lei,e c'è un
coppio di chiacchiere mentre circola la notizia errata che lei sia Gilda
i Gray dalle Follies. La festa è iniziata.

redo che la prima notte che andai a casa di Gatsby lo fossi io
ei pochi ospiti effettivamente invitati. Le persone no
vitato : sono andati lì. Salirono su automobili che li annoiarono
Long Island,e in qualche modo finirono davanti alla porta di Gatsby . Una
olta lì
irono presentati da qualcuno che conosceva Gatsby,e poi loro
comportavano secondo le regole di comportamento associate
on un parco divertimenti. A volte andavano e venivano senza averlo fatto
on ha mai incontrato Gatsby,è venuto alla festa con una semplicità di
uore tale
ra il suo biglietto d'ingresso.

realtà ero stato invitato. Un autista in uniforme a forma di uovo di
ettirosso
blu attraversò il mio prato quel sabato mattina presto con un
orprendente
ota formale del suo datore di lavoro: l'onore sarebbe interamente di
atsby ,
ceva se avessi partecipato alla sua " piccola festa " quella sera. Aveva
sto
verse volte,e aveva intenzione di venirmi a trovare già molto tempo prima,
ia a
a strana combinazione di circostanze lo aveva impedito - firmato Jay
atsby,in una mano maestosa.

oco dopo,vestito di flanella bianca,mi recai nel suo prato
ette,e vagavo piuttosto a disagio tra turbinii e vortici
persone che non conoscevo ,anche se qua e là c'era un volto che
evo notato
l treno dei pendolari. Sono rimasto subito colpito dal numero di
ovani inglesi sparsi qua e là; tutti ben vestiti,tutti un po' somiglianti
famati e tutti parlano a voce bassa e seria verso persone solide e
rospere
mericani. Ero sicuro che stessero vendendo qualcosa: obbligazioni o
ssicurazioni o automobili. Erano almeno dolorosamente consapevoli del
oldi facili nelle vicinanze e convinti che fossero affari di pochi
arole nella chiave giusta.

Il grande Gatsby

Appena arrivato ho fatto un tentativo di trovare il mio ospite,ma i due o tre persone a cui ho chiesto dove si trovasse mi fissavano in modo tale stupito,e negava con tanta veemenza ogni conoscenza dei suoi movimenti, che sono sgattaiolato in direzione del tavolo da cocktail - l'unico posto nel giardino dove un solo uomo poteva indugiare senza guardare senza scopo e solo.

Stavo per ubriacarmi fradicio per il puro imbarazzo quando Jordan Baker uscì di casa e si fermò in cima alla biglia passi,sporgendosi un po' all'indietro e guardando con disprezzo Interesse giù in giardino.

Benvenuto o no,ho ritenuto necessario attaccarmi a qualcuno prima di cominciare a rivolgere cordiali commenti ai passanti.

" Ciao! - ruggii,avanzando verso di lei. La mia voce sembrava innaturale forte attraverso il giardino.

" Pensavo che potessi essere qui ",rispose distrattamente mentre mi avvicinavo.
" Mi sono ricordato che vivevi accanto a ..."

Mi teneva la mano in modo impersonale,come una promessa che si sarebbe presa cura di me
in un minuto,e diede ascolto a due ragazze in gemelli abiti gialli,che si fermò ai piedi dei gradini.

" Ciao! " gridavano insieme. " Mi dispiace che tu non abbia vinto. "

Era per il torneo di golf. Aveva perso nella finale quella settimana Prima.

" Tu non sai chi siamo ",disse una delle ragazze in giallo," ma noi ti ho incontrato qui circa un mese fa. "

" Da allora ti sei tinto i capelli ",osservò Jordan,e io cominciai, ma le ragazze si erano allontanate con noncuranza e la sua osservazione era indirizzata
la luna prematura,prodotta come la cena,senza dubbio,da a del ristoratore . Con l'esile braccio dorato di Jordan appoggiato nel mio, noi
scese le scale e gironzolò per il giardino. Un vassoio di
i cocktail fluttuarono verso di noi nel crepuscolo e ci sedemmo a una tavolo con le due ragazze in giallo e tre uomini,ciascuno presentato a noi come signor Mumble.

" Vieni spesso a queste feste? " chiese Jordan alla ragazza accanto a lei.

" L'ultimo è stato quello in cui ti ho incontrato ",rispose la ragazza,in un voce attenta e sicura. Si rivolse al suo compagno: Non " era per tu,Lucille? "

Lo è stato anche per Lucille.

" Mi piace venire ",disse Lucille. " Non mi interessa mai quello che faccio, quindi lo faccio sempre
divertiti. L'ultima volta che sono stato qui mi sono strappato il vestito su una sedia,e
mi ha chiesto il mio nome e indirizzo : nel giro di una settimana ho ricevuto un pacco
Croirier indossa un nuovo abito da sera. "

" Lo hai tenuto? ",chiese Giordano.

" Certo che l'ho fatto. Volevo indossarlo stasera,ma era troppo grande dentro
rotto e ha dovuto essere modificato. Era blu gas con perline color lavanda Due

entosessantacinque dollari. "

C'è **qualcosa** di divertente in un uomo che **fa** una cosa del genere," isse l'altra ragazza con entusiasmo. » Non vuole **avere** problemi con essuno. "

Chi non lo fa? ",ho chiesto.

Gatsby. Qualcuno mi ha detto -"

e due ragazze e Jordan si appoggiarono insieme confidenzialmente.

Qualcuno mi ha detto che pensavano che avesse ucciso un uomo una olta. "

Jn brivido è passato su tutti noi. I tre Mr. Mumbles si chinarono in avanti e scoltato con impazienza.

Non **credo** che sia poi così tanto " obiettò Lucille scettica; " Suo _ _ iù che era una spia tedesca durante la guerra. "

Jno degli uomini annuì in segno di conferma.

L'ho sentito da un uomo che sapeva tutto di lui,cresciuto con lui iermania " ,ci ha assicurato positivamente.

Oh no," disse la prima ragazza,**non** " può essere così,perché c'era lui." ell'esercito americano durante la guerra. " Mentre la nostra credulità ornava a el si sporse in avanti con entusiasmo. " A volte lo guardi uando pensa che nessuno lo **stia** guardando. Scommetto **che** ha ucciso n uomo. "

ei strinse gli occhi e rabbrividì. Lucille rabbrividì. Ci siamo voltati tutti si guardò intorno in cerca di Gatsby. Era una testimonianza del omantico peculazione che ha ispirato che ci fossero sussurri su di lui,da quelli he aveva trovato poco di cui fosse necessario sussurrare in tutto ciò iondo.

a prima cena — ce ne sarebbe stata un'altra dopo mezzanotte — era desso ssere servito,e Jordan mi ha invitato a unirmi al suo gruppo,che era parsi attorno a un tavolo dall'altra parte del giardino. C'erano e coppie sposate e l'accompagnatore **di Jordan** ,uno studente niversitario persistente ato ad allusioni violente,e ovviamente con l'impressione che rima o poi Jordan gli avrebbe ceduto la sua persona a un rado maggiore o minore. Invece di divagare,questo partito ha fatto onservo una dignitosa omogeneità e ne assunse la funzione i rappresentare la seria nobiltà della campagna : East Egg ondiscendente verso West Egg e attentamente in guardia contro di esso llegria spettroscopica.

Usciamo " ,sussurrò Jordan,dopo un discorso in qualche modo ispendioso e iezz'ora inappropriata; " Questo è troppo educato per me. "

i siamo alzati e lei ci ha spiegato che saremmo andati a cercare l'ospite: l on lo avevo mai incontrato,disse,e la cosa mi metteva a disagio. IL studente annuì in modo cinico e malinconico.

baral quale guardammo per primi,era affollato,ma Gatsby no a. Non riusciva a trovarlo dalla cima dei gradini,e non lo era ulla veranda. Per caso tentammo una porta dall'aspetto importante,e ntrò in un'alta biblioteca gotica,rivestita di pannelli di quercia inglese tagliata, probabilmente trasportato completo da qualche rovina oltreoceano.

Il grande Gatsby

Lo era un uomo corpulento,di mezza età,con enormi occhiali da gufo seduto un po' ubriaco sul bordo di un grande tavolo,a fissare concentrazione instabile sugli scaffali dei libri. Quando siamo entrati lui si voltò eccitato ed esaminò Jordan dalla testa ai piedi.

" Cosa ne pensi? " chiese impetuoso.

" Riguardo a cosa? "

Agitò la mano verso gli scaffali.

" A tale proposito. In effetti non devi preoccuparti di accertartene. IO accertato. Sono reali . "

" I libri? "

Annuì.

" Assolutamente reale : hai pagine e tutto il resto. Pensavo che sarebbero stati carini
cartone resistente. In effetti,sono assolutamente reali. Pagine
e qui ! Lascia che te lo mostri. "

Dando per scontato il nostro scetticismo,si precipitò alle librerie e tornò con il primo volume delle Stoddard Lectures.

" Vedere! " esclamò trionfante. " E ' un autentico pezzo stampato questione. Mi ha ingannato. Questo tizio è un normale Belasco. E un _ trionfo. Che completezza! Che realismo! Sapevo quando fermarmi, troppo - non ho tagliato le pagine. Ma cosa vuoi? Cosa ti aspetti? "

Mi strappò di mano il libro e lo rimise frettolosamente sullo scaffale, mormorando che se fosse stato rimosso un mattone l'intera biblioteca sarebbe stata responsabile
collassare.

" Chi ti ha portato? " chiese. " Oppure sei appena venuto? Sono stato portato.
La maggior parte delle persone furono portate. "

Jordan lo guardò con attenzione,allegramente,senza rispondere.

" Sono stato portato da una donna di nome Roosevelt " ,ha continuato.
" Signora Claud
Roosevelt. La conosci? L'ho incontrata da qualche parte ieri sera. Sono Stato
ubriaco ormai da circa una settimana,e ho pensato che sedermi mi avrebbe fatto tornare sobrio
in biblioteca. "

" Davvero? "

" Un po',credo. Non posso ancora dirlo. Sono qui solo da un'ora.
Ti ho parlato dei libri? Sono reali . Loro sono -'"

" Ce lo hai detto. "

Gli abbiamo stretto la mano gravemente e siamo tornati all'aperto.

Adesso si ballava sulla tela in giardino; vecchi che spingevano fanciulle arretrate in eterni circoli sgraziati,coppie superiori tenendosi l'un l'altro in modo tortuoso,alla moda e mantenendosi uniti angoli - e un gran numero di ragazze single che ballano individualmente o sollevando per un momento l'orchestra dal peso del banjo o del trappole. A mezzanotte l'ilarità era aumentata. Un celebre tenore lo aveva cantato in italiano,e un noto contralto aveva cantato in jazz,e tra i numeri la gente faceva " acrobazie " in tutto il giardino, mentre allegri e vacui scoppi di risa si levavano verso il cielo estivo. UN ha coppia di gemelle di scena,che si rivelò essere le ragazze in giallo,fecero

ecitazione da bambino in costume e lo champagne veniva servito in
cchieri più grandi di
otole per le dita. La luna era salita più in alto e fluttuava nello stretto
triangolo di scaglie argentate,un po' tremanti seppur rigide e metalliche
gocciolamento del banjo sul prato.

o ancora con Jordan Baker. Eravamo seduti a un tavolo con un uomo
alla mia età e una ragazzina chiassosa,che cedette al
inima provocazione fino a una risata incontrollabile. Mi stavo divertendo
e stesso adesso. Avevo preso due coppe di champagne e la scena
era trasformato davanti ai miei occhi in qualcosa di significativo,
ementare e...
rofondo.

una pausa nell'intrattenimento l'uomo mi guardò e sorrise.

tuo viso mi è familiare " " ,disse educatamente. Non » eri tu nel
rimo
ivisione durante la guerra? "

Perchè sì. Ero nel ventottesimo fanteria. "

Sono stato nel Sedicesimo fino al giugno del millenovecentodiciotto.
apevo di averlo visto
a qualche parte prima. "

bbiamo parlato un attimo di alcuni piccoli villaggi grigi e umidi della Francia.
videntemente abitava da queste parti,perche mi disse che aveva appena
o comprato un idrovolante e volevo provarlo domattina.

Vuoi venire con me,vecchio mio? Proprio vicino alla riva lungo il Sound. "

A che ora? "

Quando preferisci. "

a sulla punta della mia lingua chiedere il suo nome quando Jordan guardò
torno e sorrise.

Ti stai divertendo gay adesso? ",chiese.

Molto meglio. " Mi sono rivolto di nuovo alla mia nuova conoscenza. "
uesto è un
sta insolita per me. Non ho nemmeno visto l'ospite. Vivo qui
...» Agitai la mano verso la siepe invisibile in lontananza,» e
est'uomo Gatsby ha mandato il suo autista con un invito. "

er un attimo mi guardò come se non riuscisse a capire.

lo sono Gatsby » ,disse all'improvviso.

Che cosa! " esclamai. " Oh,chiedo scusa. "

Pensavo che lo sapessi,vecchio mio. Temo di non essere un buon ospite.

orrise con comprensione ,molto più che con comprensione. Era uno
quei rari sorrisi che contengono una qualità di eterna rassicurazione,
ello
otresti imbatterti quattro o cinque volte nella vita. Si affacciava - o
embrava
ccia : l'intero mondo eterno per un istante,e poi si concentrò su
n un irresistibile pregiudizio a tuo favore. Ti ha capito
roprio per quanto volevi essere capito,credevi in te come te
orrei credere in te stesso e ti ho assicurato che era così
roprio l'impressione di te che,al meglio,speravi di avere
asportare. Proprio in quel momento svanì — e stavo guardando un

Il grande Gatsby

elegante, giovane teppista,uno o due anni sopra i trent'anni,il cui elaborato
la formalità del discorso mancava di poco perché era assurda. Qualche
tempo prima di lui
si è presentato,ho avuto la forte impressione che stesse scegliendo il suo
parole con cura.

Quasi nel momento in cui il signor Gatsby si è identificato come
maggiordomo
corse verso di lui con l'informazione che Chicago lo stava chiamando
sul filo. Si scusò con un piccolo inchino che includeva ciascuno di
noi a turno.

" Se vuoi qualcosa,chiedila e basta,vecchio mio " ,mi ha esortato.
" Mi scusi. Ti raggiungerò più tardi. "

Quando se ne fu andato mi rivolsi immediatamente a Jordan ,costretto a
rassicurarlo
lei della mia sorpresa. Mi aspettavo che il signor Gatsby fosse un tipo
florido
e corpulento nella sua mezza età.

" Chi è lui? " ho chiesto. " Sai? "

» È semplicemente un uomo di nome Gatsby. "

" Da dove viene,voglio dire? E cosa fa? "

" Ora hai cominciato con l'argomento," rispose lei con un debole sorriso.
» Beh,una volta mi ha detto che era un uomo di Oxford. "

Uno sfondo scuro iniziò a prendere forma dietro di lui,ma accanto a lei
notare che è svanito.

" Tuttavia non ci credo . "

" Perché no? "

" Non lo so " ,insisteva," semplicemente non credo che sia andato lì. "

Qualcosa nel suo tono mi ha ricordato il Penso " che lui
ha ucciso un uomo " ,e ha avuto l'effetto di stimolare la mia curiosità.
Vorrei
hanno accettato senza dubbio l'informazione da cui è scaturito Gatsby
dalle paludi della Louisiana o dal Lower East Side di New York. Quello
era comprensibile. Ma i giovani non lo facevano ,almeno nel mio provinciale
per inesperienza credevo che non lo facessero: venivano alla deriva dal
nulla e
comprare un palazzo a Long Island Sound.

" Comunque dà grandi feste," disse Jordan,cambiando argomento
con un disgusto urbano per il cemento. " E mi piacciono le grandi feste.
Sono così intimi . Nelle feste piccole non c'è privacy . "

Ci fu il rimbombo di una grancassa e la voce dell'orchestra
il capo risuonò all'improvviso sopra l'ecolalia del giardino.

" Signore e signori " ,esclamò. " Su richiesta del signor Gatsby lo siamo
suonerò per te l'ultimo lavoro del signor Vladmir Tostoff , che
ha attirato così tanta attenzione alla Carnegie Hall lo scorso maggio. Se
leggi il
documenti sai che c'è stata una grande sensazione. " Sorrise con gioviale
condiscendenza,e aggiunse: " Che sensazione! "E allora tutti quanti
riso.

» Il pezzo è noto » ,concluse vigorosamente,» come ' Vladmir Tostoff '
Storia del jazz nel mondo! '"

Il grande Gatsby

La natura della composizione del signor Tostoff mi sfuggiva,perché proprio così.
cominciò,i miei occhi caddero su Gatsby,in piedi da solo sui gradini di marmo e
guardando da un gruppo all'altro con occhi di approvazione. La sua pelle abbronzata
era disegnato in modo attraente sul suo viso e i suoi capelli corti sembravano
anche se venivano tagliati ogni giorno. Non riuscivo a vederci nulla di sinistro
di. Mi chiedevo ,se il fatto che non bevesse lo aiutasse a calmarsi
lontano dai suoi ospiti,perché mi sembrava che diventasse più corretto man mano che
ilarità fraterna aumentò. Quando la " Storia del jazz nel mondo."
era finita,le ragazze mettevano la testa sulle spalle degli uomini in a
modo da cucciolo e conviviale,le ragazze svenivano all'indietro giocosamente
gli uomini ,anche in gruppi,sapendo che qualcuno li avrebbe arrestati
cade - ma nessuno è svenuto all'indietro su Gatsby,e nessun caschetto francese si è toccato
di Gatsby ,e con quella di Gatsby non venne formato alcun quartetto di canto
dirigetevi verso un collegamento.

" Chiedo scusa. "

di Gatsby si trovò improvvisamente accanto a noi.

" Signorina Baker? ",chiese. » Chiedo scusa,ma il signor Gatsby lo farebbe mi piacerebbe parlarti da solo. "

" Con Me? " esclamò sorpresa.

" Si,signora. "

Lei si alzò lentamente,alzando le sopracciglia per lo stupore,e seguì il maggiordomo verso la casa. Ho notato che la indossava abito da sera,tutti i suoi vestiti,come abiti sportivi - c'era un disinvoltura nei suoi movimenti,come se avesse imparato a camminare per la prima volta
sul campi da golf in mattine pulite e fresche.

Ero solo ed erano quasi le due. Per qualche tempo confuso e suoni intriganti provenivano da una lunga stanza dalle molte finestre che sovrastava la terrazza. Eludendo lo studente universitario di Jordan ,che adesso lo era
impegnato in una conversazione ostetrica con due ragazze del coro,e chi mi ha implorato di unirmi a lui,sono entrato.

La grande sala era piena di gente. Una delle ragazze in giallo lo era suonava il piano e accanto a lei c'era una giovane donna alta,dai capelli rossi
da un famoso coro,impegnato nel canto. Ne aveva bevuto una quantità champagne,e nel corso della canzone aveva deciso,inutilmente,
che tutto era molto,molto triste : non stava solo cantando,lo era anche. piangendo. Ogni volta che c'era una pausa nella canzone,lei la riempiva
sussulti,singhiozzi spezzati,e poi riprese il testo tremante soprano. Le lacrime le scorrevano lungo le guance ,tuttavia non liberamente
quando entrarono in contatto con le sue ciglia pesantemente perlate assunsero un colore inchiostro e proseguirono lentamente il resto della strada
rivoli neri. È stato suggerito in modo divertente di cantare le note sul viso,dopo di che alzò le mani,si lasciò cadere su una sedia e cadde in un sonno profondo e vinoso.

Ha litigato con un uomo che dice di essere suo marito " ,ha spiegato a ragazza al mio fianco.

Il grande Gatsby

Mi sono guardato intorno. La maggior parte delle donne rimaste adesso litigavano
con uomini che si dice siano i loro mariti. Anche il partito di Jordan ,il quartetto
da East Egg,furono fatti a pezzi dal dissenso. Uno degli uomini lo era
dopo,parlando con curiosa intensità con una giovane attrice e sua moglie
Tentando di ridere della situazione in modo dignitoso e indifferente
modo,crollarono completamente e ricorsero ad attacchi sui fianchi - a intervalli
apparve all'improvviso al suo fianco come un diamante arrabbiato,e sibilò:
" Hai promesso! " nel suo orecchio.

La riluttanza a tornare a casa non era limitata agli uomini ribelli. L'entrata
era attualmente occupato da due uomini deplorevolmente sobri e dai loro altamente
mogli indignate. Le mogli simpatizzavano l'una con l'altra
voci leggermente alzate.

" Ogni volta che vede che mi sto divertendo vuole tornare a casa. "

" Non ho mai sentito niente di così egoista in vita mia. "

" Siamo sempre i primi a partire. "

" Anche noi. "

" Bene,stasera siamo quasi gli ultimi " ,disse timidamente uno degli uomini.
» L'orchestra se n'è andata mezz'ora fa. "

Nonostante l' accordo delle mogli secondo cui tale malevolenza era al di là
credibilità,la disputa si concluse con una breve lotta,ed entrambe le mogli
furono sollevati,scalciando,nella notte.

Mentre aspettavo il mio cappello nell'ingresso,la porta della biblioteca si aprì
e
Jordan Baker e Gatsby uscirono insieme. Ne stava dicendo qualcosa per ultimo
parola per lei,ma l'entusiasmo nei suoi modi si intensificò all'improvviso
formalità mentre diverse persone si avvicinavano a lui per salutarlo.

di Jordan la chiamava con impazienza dal portico,tranne lei
si soffermò un attimo a stringere la mano.

" Ho appena sentito la cosa più sorprendente " ,sussurrò. " Per quanto eravamo lì? "

» Be',circa un'ora. "

" È stato ... semplicemente fantastico " ,ripeté distrattamente. " Ma l'ho giurato
non lo direi,ed eccomi qui a stuzzicarti. "Lei sbadigliò con grazia
in faccia. " Per favore,vieni a trovarmi ... Elenco telefonico ... Sotto il nome di
La signora Sigourney Howard ... Mia zia ...» Stava correndo via come lei
parlò : la sua mano bruna agitò un saluto sbarazzino mentre si scioglieva in lei
festa alla porta.

Mi vergogno piuttosto di essere rimasto così tardi alla mia prima apparizione
si unì agli ultimi ospiti di Gatsby ,che gli si erano accalcati intorno. IO
volevo spiegargli che l' avevo cercato la sera presto e così via
mi scusò per non averlo conosciuto in giardino.

» Non dirlo » ,mi ingiunse con entusiasmo. " Non dargliene un altro
pensato,vecchio mio. L'espressione familiare non conteneva più familiarità
della mano che mi sfiorava rassicurante la spalla. » E non farlo

mentica che domani mattina,alle nove,partiremo con l'idrovolante
punto . "

oi il maggiordomo,alle sue spalle:

Filadelfia la vuole al telefono,signore. "

Va bene,tra un minuto. Di' loro che arrivo subito ... Buonanotte. "

Buona notte. "

Buona notte. " Sorrise - e all'improvviso sembrò esserci un piacevole
gnificato nell'essere stato tra gli ultimi ad andarsene,come se lo avesse
siderato
tto il tempo. " Buonanotte,vecchio mio ... Buonanotte. "

a mentre scendevo le scale vidi che la serata non era ancora del tutto
opra. A quindici metri dalla porta una dozzina di fari illuminavano un
sena bizzarra e tumultuosa. Nel fosso accanto alla strada,lato destro
alto,ma violentemente mozzata di una ruota,poggiava un nuovo coupé
ie aveva
Gatsby nemmeno due minuti prima. La sporgenza tagliente di un muro
ustificato il distacco della ruota,che ormai si stava verificando
otevole attenzione da parte di una mezza dozzina di autisti curiosi.
ittavia,
entre lasciavano le auto bloccando la strada,un frastuono aspro e
scordante
i quelli nella parte posteriore erano udibili da qualche tempo,e si
jgiungevano
gia violenta confusione della scena.

n uomo con un lungo spolverino era sceso dal relitto e ora si trovava
entro
mezzo alla strada,guardando dall'auto al pneumatico e dal
ancare gli osservatori in modo piacevole e perplesso.

Vedere! " Lui ha spiegato. " È finito nel fosso. "

atto era per lui infinitamente stupefacente,e io per primo lo riconobbi
jalità insolita di meraviglia,e poi l'uomo - era il defunto mecenate
Gatsby .

Com'è successo ?» "

zò le spalle.

Non so assolutamente nulla di meccanica " ,disse con decisione.

Ma come è successo? Sei andato a sbattere contro il muro? "

Non chiedermelo " ,disse Occhi di Gufo,lavandosi le mani
estione. " So molto poco di guida ,quasi nulla. Esso
successo e questo è tutto quello che so. "

Beh,se sei un pessimo guidatore non dovresti provare a guidare di
tte. "

Ma non ci ho nemmeno provato » ,spiegò indignato,non » ci ho
emmeno provato
ovando. "

n silenzio intimorito calò sugli astanti.

Vuoi suicidarti? "

Sei fortunato che fosse solo una ruota! Un cattivo guidatore e
emmeno provandoci! "

Il grande Gatsby

" Tu non capisci " ,ha spiegato il criminale. Non " stavo guidando.
C'è un altro uomo in macchina.

Lo shock che seguì a questa dichiarazione trovò voce in maniera
sostenuta
" Ah-hh! "mentre la porta del colpo di stato si apriva lentamente. La folla
lo era
ora una folla - fece un passo indietro involontariamente,e quando la porta
si aprì
ampia ci fu una pausa spettrale. Poi,molto gradualmente,parte per parte,a
un individuo pallido e penzolante uscì dal relitto,scalpitando esitante
a terra con una grande scarpa da ballo incerta.

Accecato dal bagliore dei fari e confuso dall'incessante
con il gemito dei corni,l'apparizione rimase per un momento vacillante
prima di scorgere l'uomo con lo spolverino.

" Che importa ? " chiese con calma. " Abbiamo finito la benzina? "

" Aspetto! "

Una mezza dozzina di dita puntarono verso la ruota amputata : lui la fissò
per un momento,e poi guardo in alto come se lo sospettasse
era caduto dal cielo.

" È venuto fuori " ,ha spiegato qualcuno.

Annuì.

" All'inizio non avevo notato che ci eravamo fermati. "

Una pausa. Poi,facendo un lungo respiro e raddrizzando le spalle,
osservò con voce decisa:

" Chissà , dimmi dove c'è una stazione di servizio della linea del gas
"

Almeno una dozzina di uomini,alcuni dei quali un po' meglio di lui,
gli spiegò che ruota e macchina non erano più unite da nessuno
legame fisico.

» Stai indietro » ,suggerì dopo un momento. " Mettila in retromarcia. "

" Ma il volante è spento! "

Esitò.

" Non c'è nulla di male nel provarci " ,ha detto.

Il lamento dei corni aveva raggiunto un crescendo e io mi voltai e
tagliare attraverso il prato verso casa. Mi sono voltato indietro una volta.
Un wafer di a
la luna splendeva sulla casa rendendo la notte bella come ,di Gatsby
,prima
è sopravvivere alle risate e al suono del suo giardino ancora luminoso.
Un vuoto improvviso sembrava fluire ora dalle finestre e dal grande
porte,conferendo un completo isolamento alla figura dell'ospite,che
stava sulla veranda,con la mano alzata in un gesto formale di addio.

--- ----- --------------------

Rileggendo quanto ho scritto finora,vedo di aver dato il
impressione che fossero gli eventi di tre notti a diverse settimane di
distanza
tutto ciò mi ha assorbito. Al contrario,furono eventi puramente casuali
in un'estate affollata e,fino a molto tempo dopo,mi assorbirono
infinitamente meno dei miei affari personali.

Il grande Gatsby

a maggior parte del tempo lavoravo. Al mattino presto il sole gettava il
mio
ombra verso ovest mentre correvo giù per i bianchi abissi della bassa New
York
il Probity Trust. Conoscevo gli altri impiegati e i giovani venditori di
obbligazioni
con l'loro nomi,e pranzarono con loro al buio,affollati
ristoranti a base di salsicce di maialino,pure di patate e caffè. IO
ho avuto anche una breve relazione con una ragazza che viveva a Jersey
City e
lavorava nel reparto contabilità,ma suo fratello cominciò a lanciare
guarda male nella mia direzione,quindi quando è andata in vacanza a luglio l
ascialo volare via tranquillamente.

Di solito cenavo allo Yale Club : per qualche motivo era il
evento più cupo della mia giornata - e poi andai di sopra in biblioteca e
studiato investimenti e titoli per un'ora coscienziosa. La
generalmente c'erano alcuni rivoltosi in giro,ma non sono mai entrati
biblioteca,quindi era un buon posto dove lavorare. Dopodiché,se fosse notte
tranquillo,passeggiavo lungo Madison Avenue oltre il vecchio Murray Hill
Hotel,
e oltre la 33esima strada fino alla Pennsylvania Station.

Cominciai ad apprezzare New York,la sua atmosfera vivace e avventurosa
di notte.
la soddisfazione che il costante sfarfallio di uomini e donne e
e macchine regalano all'occhio inquieto. Mi piaceva passeggiare lungo la
fifth Avenue
e scegli le donne romantiche dalla folla e immaginalo tra poche
in pochi minuti sarei entrato nelle loro vite,e nessuno lo avrebbe mai fatto
conoscere o disapprovare. A volte,nella mia mente,li seguivo fino a loro
appartamenti agli angoli di strade nascoste,e si voltarono e
mi sorrise prima che svanissero attraverso una porta nel caldo
buio. Al crepuscolo metropolitano incantato provavo un'infestazione
solitudine a volte,e la sentiva negli altri : poveri giovani impiegati che
ighellonavano davanti alle finestre aspettando l'ora della solitudine
cena al ristorante : giovani impiegati al crepuscolo,che sprecano le cose più
toccanti
momenti della notte e della vita.

Di nuovo alle otto , quando si allineavano i vicoli bui degli anni Quaranta
cinque profondi con taxi pulsanti,diretti al quartiere dei teatri,l
sentii un tuffo al cuore. Le forme si appoggiavano insieme nei taxi mentre
oro
aspettavano,e le voci cantavano,e si sentivano risate per battute
nascoltate,
le sigarette accese formavano cerchi incomprensibili all'interno.
Immaginare
he anch'io correvo verso l'allegria e condividevo la loro intimità
ccitazione,gli ho augurato ogni bene.

er un po' ho perso di vista Jordan Baker,e poi,in piena estate,l
no ritrovata. All'inizio ero lusingato di andare in giro con lei,
erche era una campionessa di golf e tutti conoscevano il suo nome.
llora
ra qualcosa di più. In realtà non ero innamorato,ma mi sentivo una specie
di...
enera curiosità. La faccia altera e annoiata che rivolgeva al mondo
ascosto qualcosa : la maggior parte delle affettazioni prima o poi
asconde qualcosa,
nche se all'inizio non è così - e un giorno ho scoperto di cosa si tratta
ra. Quando eravamo insieme a una festa a Warwick,lei lasciò un
a preso in prestito l'auto sotto la pioggia,con il tettuccio abbassato,e poi
a mentito
e all'improvviso mi sono ricordato della storia su di lei che mi era sfuggita
uella notte da Daisy . Al suo primo grande torneo di golf ci fu un
igio che è quasi arrivato ai giornali - un suggerimento che si fosse
rasferita
 sua palla da una brutta bugia nella semifinale. La cosa si avvicinava

le proporzioni di uno scandalo – poi si spensero. Un caddy ritirò il suo dichiarazione,e l'unico altro testimone ha ammesso che avrebbe potuto esserlo
sbagliato. L'incidente e il nome erano rimasti insieme nella mia mente.

Jordan Baker istintivamente evitava gli uomini intelligenti e astuti,e ora capivo
che questo era dovuto al fatto che si sentiva più sicura su un aereo dove non c'erano divergenze.
da un codice sarebbe ritenuto impossibile. Era inguaribilmente disonesta. Non poteva sopportare di trovarsi in una situazione di svantaggio e,dato questo
riluttanza,suppongo che avesse iniziato a occuparsi di sotterfugi quando lei era molto giovane per poter mantenere quel sorriso freddo e insolente rivolto
il mondo e tuttavia soddisfare le esigenze del suo corpo duro e sbarazzino.

Per me non ha fatto alcuna differenza. La disonestà in una donna è una cosa tua
non incolpare mai profondamente : mi è dispiaciuto casualmente,e poi me ne sono dimenticato. Era acceso
quella stessa festa in casa sulla quale abbiamo avuto una curiosa conversazione sulla guida
un'automobile. Tutto è iniziato perché è passata così vicino ad alcuni operai che il nostro
Il Fender premette un pulsante sul cappotto di un uomo .

" Sei un pessimo guidatore " ,protestai. " O dovresti essere di più attento,altrimenti non dovresti guidare affatto. "

" Sto attento. "

" No non siete . "

" Beh,le altre persone lo sono " ,disse con leggerezza.

» Cosa entra'c questo? "

» Si terranno alla larga da me » ,insistette. " Ci vogliono due persone per fare un
incidente. "

" Supponi di incontrare qualcuno sbadato quanto te. "

" Spero di non farlo mai " ,rispose. " Odio le persone sbadate. Quello è _ perché mi piaci. "

I suoi occhi grigi,strizzati dal sole,guardavano dritto davanti a sé,ma lo aveva fatto
ha deliberatamente spostato i nostri rapporti,e per un momento ho pensato di amare
suo. Ma sono lento a pensare e pieno di regole interiori che agiscono come freno i miei desideri,e sapevo che prima dovevo prendermi
decisamente fuori da quel groviglio a casa. Una volta scrivevo lettere . una settimana e firmandoli: " Con affetto,Nick " ,e tutto ciò a cui riuscivo a pensare era
come,quando quella certa ragazza giocava a tennis,un leggero paio di baffi il sudore le apparve sul labbro superiore. Tuttavia c'era un vago
capire che dovevo essere interrotto con tatto prima che fossi libero.

Ognuno si sospetta di almeno una delle virtù cardinali,e questo è il mio: sono una delle poche persone oneste che abbia mai avuto conosciuto.

IV

La domenica mattina,mentre le campane delle chiese suonavano nei villagg lungo la costa,

Il grande Gatsby

mondo e la sua amante tornarono a casa di Gatsby e scintillarono
silarante sul suo prato.

È un contrabbandiere " ,dissero le signorine,spostandosi da qualche parte
el mezzo
suoi cocktail e i suoi fiori. " Una volta uccise un uomo che aveva trovato
iori che era nipote di Von Hindenburg e cugino di secondo grado del
avolo. Portami una rosa,tesoro,e versamene un'ultima goccia in quella lì
etro di cristallo.

na volta ho scritto sugli spazi vuoti di un orario i nomi di
uelli che vennero a casa di Gatsby quell'estate. È un vecchio orario
a,disintegrandosi nelle sue pieghe,è intitolato " Questo programma in
gore
luglio 1922. " Ma riesco ancora a leggere i nomi grigi,e lo faranno
arti un'impressione migliore delle mie generalità su coloro che
ccetto l'ospitalità di Gatsby e gli rese il sottile tributo di
on sapere assolutamente nulla di lui.

a East Egg,quindi,arrivarono i Chester Becker e i Leeches,e a
n uomo di nome Bunsen,che conoscevo a Yale,e il dottor Webster Civet,
ne
annegato l'estate scorsa nel Maine. E gli Hornbeams e il Willie
oltaires e un intero clan chiamato Blackbuck,che si riuniva sempre in a
l'angolo e alzavano il naso come capre contro chiunque arrivasse
cino. E gli Ismay e i Chrysties (o meglio Hubert Auerbach e
el signor Chrystie) e Edgar Beaver,i cui capelli,dicono,si sono girati
anco cotone in un pomeriggio d'inverno senza una buona ragione.

arence Endive era di East Egg,se ricordo bene. È venuto solo una volta,
pantaloni alla zuava bianchi e ha litigato con un barbone di nome Etty
ardino. Da più lontano arrivarono i Cheadles e gli O.
P Schraeders,e lo Stonewall Jackson Abrams della Georgia,e il
shguards e Ripley Snells. Snell era lì tre giorni prima di lui
ono andato al penitenziario,così ubriaco sul vialetto di ghiaia che
ella signora Ulysses Swett gli ha investito la mano destra. Le Danze
ennero anche SB Whitebait,che aveva più di sessant'anni,e Maurice
, Flink,e gli Hammerheads,e Beluga,l'importatore di tabacco,e
Beluga .

a West Egg arrivarono i polacchi,i Mulready e Cecil Roebuck
ecil Schoen e Gulick il senatore dello Stato e Newton Orchid,che
ontrollato Films Par Excellence,Eckhaust e Clyde Cohen e Don
Schwartz (il figlio) e Arthur McCarty,tutti collegati al
m in un modo o nell'altro. E i Catlip,i Bemberg e G.
arl Muldoon,fratello di quel Muldoon in seguito strangolò il suo
oglie. Da Fontano,il promotore,venne lì,ed Ed Legros e James B.
" Rot-Gut ") Furetto,i De Jong ed Ernest Lilly - Si sono ripresi
ocare d'azzardo,e quando Furetto vagava nel giardino significava che lo
a
oulito e Associated Traction dovrebbe fluttuare in modo redditizio
giorno dopo.

n uomo di nome Klipspringer era lì così spesso che divenne noto come
il pensionante ": dubito che avesse un'altra casa. Di gente teatrale
erano Gus Waize e Horace O'Donavan e Lester Myer e George
enticchia d'acqua e Francis Bull. Da New York provenivano anche i
nromes e i
ackhysson e i Dennicker e Russel Betty e i Corrigan e
Kelleher,i Dewar,gli Scully,SW Belcher e /
nirkes e i giovani Quinn,ora divorziati,e Henry L. Palmetto,che
è ucciso gettandosi sotto un treno della metropolitana a Times Square.

enny McClenahan arrivava sempre con quattro ragazze. Non erano mai
al tutto
stessi nella persona fisica,ma erano così identici
n altro che inevitabilmente sembrava che fossero già stati lì prima. Io ho
nenticato i loro nomi : Jaqueline,credo,oppure Consuela,o Gloria
Judy o June,e i loro cognomi erano nomi melodiosi

Il grande Gatsby

di fiori e di mesi o quelli più severi del grande americano
capitalisti i cui cugini,se pressati,si confesserebbero
essere.

Oltre a tutto questo ricordo che venne Faustina Brien'O
lì almeno una volta e le ragazze Baedeker e il giovane Brewer,che l'avevano
fatto
durante la guerra gli sparò il naso,e il signor Albrucksburger e la signorina
Haag,
la sua fidanzata ,Ardita Fitz-Peters e il signor P.Jewett,un tempo capo dell-
la Legione Americana e la signorina Claudia Hip,con un uomo ritenuto tale
il suo autista,e un principe di qualcosa,che noi chiamavamo Duca,e
il cui nome,se mai l'avessi saputo,non l'avrei dimenticato.

Tutta questa gente veniva a casa di Gatsby d'estate.

-- ----------------------

Alle nove , una mattina di fine luglio,la splendida macchina di Gatsby
balzò lungo il vialetto roccioso fino alla mia porta ed emise un'esplosione di
melodia
dal suo corno a tre note.

Era la prima volta che veniva a trovarmi,anche se ero andato a due volte
i suoi gruppi,saliti sul suo idrovolante,e,su suo invito urgente,
frequentava spesso la sua spiaggia.

" Buongiorno,vecchio mio. Oggi pranzerai con me e io
pensavo che saremmo andati insieme. "

Con quello si stava tenendo in equilibrio sul cruscotto della sua macchina
l'intraprendenza del movimento che è cosi tipicamente americano — che
arrivà,
Suppongo che,con l'assenza di lavoro di sollevamento in gioventù e,ancor d'
più,
con la grazia informe dei nostri giochi nervosi e sporadici. Questa qualità
metteva continuamente alla prova i suoi modi puntigliosi nella forma
di irrequietezza. Non era mai del tutto fermo; c'era sempre un tocco
piede da qualche parte o l'impaziente apertura e chiusura di una mano.

Mi ha visto guardare con ammirazione la sua macchina.

» È carino ,vero , vecchio mio?. " Saltò giù per darmi una migliore
visualizzazione. "Non l " hai mai visto prima? "

L' avevo visto. Tutti lo avevano visto. Era di un color crema intenso,brillant
di nichel,gonfio qua e là nella sua mostruosa lunghezza di
cappelliere trionfanti,cassette per la cena e cassette degli attrezzi,e
terrazzate con
un labirinto di parabrezza che rispecchiavano una dozzina di soli. Sedendos
dietro tanti strati di vetro in una sorta di veranda in pelle verde,
abbiamo iniziato in città.

Avevo parlato con lui forse una mezza dozzina di volte nell'ultimo mese e
ho scoperto,con mio disappunto,che aveva poco da dire. Quindi il mio primo
aveva l'impressione che fosse una persona di qualche importanza indefinit
gradualmente svanì ed egli era divenuto semplicemente il titolare di un
elaborato roadhouse della porta accanto.

E poi è arrivata quella corsa sconcertante. Non avevamo raggiunto West
Egg
villaggio prima che Gatsby cominciasse a lasciare incompiute le sue
eleganti frasi
e dandosi una pacca indecisa sul ginocchio del suo color caramello
abito.

» Senti,vecchio mio » ,esplose sorprendentemente,» qual è il tuo ?
opinione su di me,comunque? "

Il grande Gatsby

Un po' sopraffatto,ho iniziato le evasioni generalizzate quali quella a domanda merita.

" Bene,ti racconterò qualcosa della mia vita " lo interruppe. " Non voglio che tu ti faccia un'idea sbagliata di me da tutte queste storie che ti raccontano ascoltare. "

Quindi era a conoscenza delle bizzarre accuse che condivano la conversazione nelle sue sale.

Ti " dirò la verità di Dio . " La sua mano destra improvvisamente ordinò divino punizione per stare a guardare. " Sono il figlio di alcune persone benestanti del Middle West : tutti morti adesso. Sono cresciuto in America ma ho studiato Oxford,perché tutti i miei antenati per molti hanno studiato lì anni. È una tradizione di famiglia. "

Mi guardò di sottecchi e sapevo perché Jordan Baker gli aveva creduto stavo mentendo. Si affrettò a pronunciare la frase " ha studiato a Oxford " o degluti o ci si soffocava,come se lo avesse già infastidito in precedenza. E con questo dubbio,tutta la sua affermazione è andata in pezzi,e mi sono chiesto se dopotutto non c'era niente di sinistro in lui .

" Quale parte del Middle West? " ho chiesto con nonchalance.

" San Francisco. "

" Vedo. "

" Tutta la mia famiglia è morta e ho guadagnato una bella somma di denaro. "

La sua voce era solenne,come se il ricordo di quell'improvvisa estinzione di clan lo perseguitava ancora. Per un attimo ho sospettato che stesse tirando a mia gamba,ma uno sguardo verso di lui mi convinse del contrario.

" Dopodiché ho vissuto come un giovane rajah in tutte le capitali del Europa — Parigi,Venezia,Roma — collezionismo di gioielli,soprattutto rubini, caccia un grande gioco,dipingere un po',cose solo per me,e provarci dimenticare qualcosa di molto triste che mi era successo molto tempo fa.

Con uno sforzo riuscii a trattenere una risata incredula. Il vero e frasi erano così logore da non evocare alcuna immagine tranne quella di un personaggio col turbante che perdeva segatura da tutti i pori mentre inseguiva una tigre attraverso il Bois de Boulogne.

" Poi arrivò la guerra,vecchio mio. È stato un grande sollievo e ci ho provato molto dura a morire,ma mi sembrava di sopportare una vita incantata. Ho accettato a incarico di primo tenente quando iniziò. Nella foresta delle Argonne I lo portato i resti del mio battaglione di mitragliatrici così lontano che lì su entrambi i lati c'era uno spazio di mezzo miglio dove la fanteria non poteva avanzare. Restammo lì due giorni e due notti,centotrenta uomini con sedici cannoni Lewis,e quando finalmente arrivò la fanteria trovarono tra le cataste le insegne di tre divisioni tedesche morto. Fui promosso maggiore e tutti i governi alleati donarono

Il grande Gatsby

per me una decorazione — anche il Montenegro,il piccolo Montenegro laggiu
Mare Adriatico! "

Piccolo Montenegro! Sollevò le parole e annuì con la sua
sorriso, Il sorriso comprendeva la storia travagliata del Montenegro e
simpatizzavano con le coraggiose lotte del popolo montenegrino. Esso
apprezzato pienamente la catena di circostanze nazionali che avevano
ha suscitato questo omaggio dal piccolo cuore caldo del . Montenegro
Mio
ora l'incredulità era sommersa dall'attrazione; era come scremare
sfogliando frettolosamente una dozzina di riviste.

Infilò una mano in tasca e trovò un pezzo di metallo,appeso a un nastro,
mi cadde nel palmo della mano.

» Quello è quello del Montenegro. "

Con mio grande stupore,la cosa aveva un aspetto autentico. " Ordini di
Danilo " ,recitava la legenda circolare," Montenegro,Nicolas Rex. "

" Giralo. "

" Maggiore Jay Gatsby " ,leggo," Per valore straordinario. "

" Ecco altra'un cosa che porto sempre con me. Un ricordo dei giorni di
Oxford. Esso
è stata scattata a Trinity Quad : l'uomo alla mia sinistra ora è il conte di
Doncaster.

Era una fotografia di una mezza dozzina di giovani in blazer che oziavano in
un
arco attraverso il quale erano visibili una serie di guglie. C'era Gatsby,
sembra un po',non molto,piu giovane ,con una mazza da cricket in mano.

Allora era tutto vero. Ho visto le pelli delle tigri in fiamme nel suo palazzo
sul Canal Grande; l'ho visto aprire uno scrigno di rubini per consolarsi
le loro profondità illuminate di cremisi,i morsi del suo cuore spezzato.

". Oggi ti farò una grande ,richiesta," disse mettendosi in tasca la sua
ricordi con soddisfazione," cosi ho pensato che dovresti sapere una cosa
su di me. Non volevo che pensassi che non fossi nessuno. Vedi,
Di solito mi trovo tra estranei perché vado alla deriva di qua e di là
cercando di dimenticare le cose tristi ,che mi sono successe. Esitò .
Ne » sentirete parlare questo pomeriggio. "

" A pranzo? "

" No,questo ,pomeriggio. Mi è capitato di scoprire che porterai la signorina
Baker al tè. "

" Vuoi dire che sei innamorato della signorina Baker? "

» No,vecchio mio,non lo sono . Ma la signorina Baker ha gentilmente
acconsentito a parlare
a te riguardo a questa faccenda. "

Non avevo la più pallida idea di cosa fosse " questa faccenda " ,ma ero di
più
infastidito più che interessato. Non avevo invitato Jordan a prendere il tè
per farlo
discutere del signor Jay Gatsby. Ero sicuro che la richiesta sarebbe stata
qualcosa
assolutamente fantastico,e per un attimo mi dispiace di avervi messo
piede
il suo prato sovrappopolato.

Non avrebbe detto un'altra parola. La sua correttezza cresceva in lui man
mano che ci avvicinavamo

a città. Abbiamo superato Port Roosevelt,dove ce n'era uno scorcio
avi oceaniche dalla cintura rossa,e sfrecciarono lungo una baraccopoli
cciottolata fiancheggiata da
saloon bui e deserti del Novecento sbiadito e dorato.
oi la valle delle ceneri si è aperta su entrambi i lati di noi,e ho avuto un
travedere la signora Wilson che sforzava la pompa del garage
nsimando
italà mentre passavamo.

on i paraurti spiegati come ali abbiamo diffuso la luce per metà
storia — solo la metà,perché giravamo tra i pilastri dell'elevata
lo sentito il familiare " jug-jug-sputare! " di una moto,e un frenetico
poliziotto cavalcava accànto.

Va bene,vecchio mio » ,gridò Gatsby. Abbiamo rallentato. Prendendo un
ianco
arta dal portafoglio,la sventolò davanti agli occhi uomo'dell .

Hai ragione » ,concordò il poliziotto,togliendosi il berretto. " Ci conosciamo
opo
empo,signor Gatsby. Mi scusi! "

Che cos 'era questo? ",ho chiesto. " La foto di Oxford? "

Una volta ho potuto fare un favore al commissario e lui mi manda un
artolina di Natale ogni anno. "

ul grande ponte,con la luce del sole che attraversa le travi formando un...
no sfarfallìo costante sulle macchine in movimento,con la città che si
npalzava di fronte.
fiume in cumuli bianchi e zollette di zucchero,tutti costruiti con un
esiderio
enaro non olfattivo. La città vista dal Queensboro Bridge è sempre
 città vista per la prima volta,nella sua prima selvaggia promessa di tutte
nistero e la bellezza del mondo.

n uomo morto ci superò in un carro funebre colmo di fiori,seguito da due
arrozze con le tendine abbassate,e carrozze più allegre per
nici. Gli amici ci guardavano con gli occhi tragici e bassi
bbra superiori dell'Europa sud-orientale,e sono stato contento che la
sta di
i Gatsby era inclusa nella loro cupa vacanza. Come noi
ttraversata Blackwell s' Island ci passò accanto una limousine guidata da
n bianco
utista,nel quale sedevano tre negri alla moda,due dollari e una ragazza. IO
sero forte mentre i tuorli dei loro occhi rotolavano verso di noi
valità altezzosa.

Tutto può succedere ora che siamo scivolati su questo ponte " ,ho
ensato;
 proprio niente ..."

otrebbe accadere anche Gatsby,senza particolare meraviglia.

-- ----------------------

lezzogiorno ruggente. In una cantina ben ventilata della Quarantaduesima
trada incontrai Gatsby
er pranzo. Sbattendo le palpebre per allontanare la luminosità della strada
iori miei occhi
 colsi oscuramente nell'anticamera,mentre parlava con un altro uomo.

Signor Carraway,questo è il mio amico,il signor Wolfsheim. "

n ebreo piccolo e dal naso schiacciato alzò la sua grande testa e mi
uardò con due occhi
ottili escrescenze di peli che prosperavano in entrambe le narici. Dopo un
iomento in cui ho scoperto i suoi occhietti nella penombra.

Il grande Gatsby

"... Così gli ho dato un'occhiata " ,ha detto il signor Wolfsheim,stringendomi la mano
sinceramente: " e cosa pensi che abbia fatto? "

" Che cosa? " ho chiesto educatamente.

Ma evidentemente non si rivolgeva a me,perché mi lasciò la mano e copri Gatsby con il suo naso espressivo.

" Ho consegnato i soldi a Katspaugh e ho detto: ' Va bene,Katspaugh, non pagargli un soldo finché non chiude la bocca. ' Allora lo chiuse e là.

Gatsby prese ognuno di noi per un braccio e avanzò verso il ristorante,dopo di che il signor Wolfsheim ingoiò una nuova frase che era sussulto e cadde in un'astrazione sonnambula.

" Highball? " chiese il capocameriere.

" Questo è un bel ristorante qui " ,disse il signor Wolfsheim,guardando il ninfe presbiteriali sul soffitto. " Ma mi piace dall'altra parte della strada Meglio! "

» Sì,highball » ,concordò Gatsby,e poi,rivolto al signor Wolfsheim : » È troppo
caldo laggiù. "

» Caldo e piccolo ... sì » ,disse il signor Wolfsheim,» ma pieno di ricordi. "

" Che posto è quello? " Ho chiesto.

" Il vecchio Metropole. "

» Il vecchio Metropole » ,meditava cupamente il signor Wolfshiem. " Riempito con
volti morti e scomparsi. Pieno di amici scomparsi ormai per sempre. Non posso
Dimenticherò finché vivrò la notte in cui uccisero Rosy Rosenthal lì. Esso
A tavola eravamo in sei e Rosy aveva mangiato e bevuto parecchio sera. Quando era quasi mattina il cameriere gli si avvicinò con uno sguardo strano e dice che qualcuno vuole parlargli fuori. Tutto giusto, dice Rosy,e comincia ad alzarsi,e io l'ho tirato giù nella sua sedia.

»" Lascia che quei bastardi vengano qui,se ti vogliono,Rosy,ma non farlo tu,quindi aiutami,esci da questa stanza.

Allora.» erano le quattro del mattino,e se avessimo alzato il...
le persiane ci avrebbero permesso di vedere la luce del giorno. "

" È andato? " ho chiesto innocentemente.

" Certo che è andato. Il naso del signor Wolfshiem mi guardò indignato. " Lui
si è girato sulla porta e dice: ' Non fatevi portare via quel cameriere. il mio caffè! Poi è uscito sul marciapiede e gli hanno sparato tre colpi volte a pancia piena e se ne andò.

" Quattro di loro sono rimasti fulminati " ,dissi,ricordando.

» Cinque,con Becker. Le sue narici si rivolsero a me con interesse. " Capisco che stai cercando un collegamento commerciale. "

La giustapposizione di queste due osservazioni era sorprendente. rispose Gatsby
per mé:

Il grande Gatsby

" Oh,no " ,esclamò,non " è questo l'uomo. "

" NO? Il signor Wolfsheim sembrava deluso.

" Questo è solo un amico. Te l'avevo detto che ne avremmo parlato qualcun altro tempo. "

" Chiedo scusa " ,disse il signor Wolfsheim," ho avuto l'uomo sbagliato. "

Arrivò un succulento hashish e il signor Wolfsheim se ne dimenticò ancora di più atmosfera sentimentale del vecchio Metropole,cominciò a mangiare con delicatezza feroce. I suoi occhi,intanto,vagavano molto lentamente tutt'intorno a stanza - completò l'arco girandosi per ispezionare le persone direttamente dietro. Penso che,se non fosse stato per la mia presenza, avrebbe fatto dato una breve occhiata sotto il nostro tavolo.

« Senti,vecchio mio » ,disse Gatsby,sporgendosi verso di me,» temo di sì i ha fatto un po' arrabbiare stamattina in macchina. "

Ci fu di nuovo il sorriso,ma questa volta resistetti.

Non » mi piacciono i misteri » ,risposi,» e non capisco perché tu non uscirai francamente per dirmi cosa vuoi. Perché è successo tutto? passare attraverso la signorina Baker? "

" Oh,non è niente di subdolo " ,mi assicurò. " La signorina Baker è fantastica sportiva,si sa,e non farebbe mai niente che non fosse tutto giusto. "

All'improvviso guardò l'orologio,balzò in piedi e corse fuori dalla stanza. lasciandomi con il signor Wolfsheim al tavolo.

« Deve telefonare » ,disse il signor Wolfsheim,seguendolo con il suo occhi. » Bravo ragazzo,vero ? Bello da vedere e perfetto signore. "

" Sì. "

« È un uomo di Oggsford. "

OH! "

Ha frequentato l'Oggsford College in Inghilterra. Conosci l'Oggsford College?

Ne ho sentito parlare. "

E ' uno dei college più famosi al mondo. "

Conosci Gatsby da molto tempo? ",ho chiesto.

Diversi anni " ,rispose con soddisfazione. " Mi sono fatto il piacere i sua conoscenza subito dopo la guerra. Ma sapevo di aver scoperto a omo di buona educazione dopo aver parlato con lui per un'ora. Ho detto o: " Ecco il tipo di uomo che vorresti portare a casa e presentare". tua madre e tua sorella. '" Fece una pausa. " Vedo che stai guardando mio bottoni sui polsini. "

Non li avevo guardati,ma l'ho fatto adesso. Erano composti da ezzi d'avorio stranamente familiari.

I migliori esemplari di molari umani " ,mi informò.

" BENE! " Li ho ispezionati. " E ' un'idea molto interessante. "

" Sì. - Si rimboccò le maniche sotto il cappotto. » Sì,Gatsby è molto attento alle donne. Non avrebbe mai guardato quello di un amico moglie. "

Quando l'oggetto di questa fiducia istintiva tornò al tavolo e si sedette. Il signor Wolfsheim bevve il caffè di scatto e si avvicinò al suo piedi.

" Mi è piaciuto il pranzo ",disse," e ho intenzione di scappare da te due giovani prima che mi trattenga troppo. "

» Non mettere fretta a Meyer » ,disse Gatsby,senza entusiasmo. Signor Wolfsheim alzò la mano in una sorta di benedizione.

" Sei molto gentile ,ma io appartengo a un'altra generazione " ,annunciò solennemente. " Ti siedi qui e discuti dei tuoi sport e delle tue signorine e il tuo ,..» Fornì un sostantivo immaginario con un altro gesto mano. " Quanto a me,ho cinquant'anni e non mi impongo più te. "

Mentre stringeva la mano e si voltava,il suo tragico naso tremava. IO si chiedeva se avessi detto qualcosa che potesse offenderlo.

" A volte diventa molto sentimentale " ,ha spiegato Gatsby, " Questo è uno dei suoi giorni sentimentali. È un vero personaggio in giro per New York : a abitante di Broadway. "

" Chi è,comunque,un attore? "

" NO. "

" Un dentista? "

" Meyer Wolfsheim? No,è un giocatore d'azzardo. Gatsby esitò,poi aggiunse: freddamente: " È 'l uomo che ha sistemato le World Series nel 1919. "

" Sistemate le World Series ? " ho ripetuto.

L'idea mi sconcertò. Mi sono ricordato,ovviamente,che il mondo La serie era stata sistemata nel 1919,ma se ci avessi pensato,io l'avrei considerato come una cosa semplicemente accaduta,la fine di qualche catena inevitabile. Non mi era mai venuto in mente che un uomo potesse farlo Inizia a giocare con la fede di cinquanta milioni di persone — con la risolutezza di un ladro che fa saltare una cassaforte.

" Come ha fatto a farlo? " ho chiesto dopo un minuto.

" Ha appena visto l'opportunità. "

» Perché non è in prigione? "

Non » riescono a prenderlo,vecchio mio. E ' un uomo intelligente. "

Ho insistito per pagare l'assegno. Mentre il cameriere mi portava il resto,io intravidi Tom Buchanan dall'altra parte della stanza affollata.

" Vieni con me un attimo " ,dissi; " Devo salutarti _ qualcuno. "

Quando ci vide,Tom balzò in piedi e fece una mezza dozzina di passi nel nostro rezione.

Dove **sei** stato? " chiese con entusiasmo. » Daisy è furiosa per te
on ho chiamato. "

Questo è il signor Gatsby,il signor Buchanan. "

i strinsero la mano brevemente,e uno sguardo teso e insolito
mbarazzo si dipinse sul volto di . Gatsby

Comunque , come stai? " mi ha chiesto Tom. » Come hai potuto?»
ei venuto fin qui per mangiare? "

Ho **pranzato** con il signor Gatsby. "

li sono voltato verso il signor Gatsby,ma non c'era più.

--- ---------------------

n giorno d'ottobre del millenovecentodiciassette -

isse Jordan Baker,quel pomeriggio,sedendosi molto dritto su a
edia dritta nel giardino del tè dell'Hotel Plaza)

- Camminavo da un posto all'altro,per metà sui marciapiedi
meta sui prati. Ero più felice sui prati perché avevo addosso
carpe dall'Inghilterra con tasselli di gomma sulle suole che mordevano
erreno morbido. Indossavo anche una nuova gonna scozzese che si
largava un po'
ento,e ogni volta che ciò accadeva apparivano gli stendardi rossi,bianchi e
u
avanti a tutte le case si stendeva rigido e diceva tut-tut-tut-tut,
modo disapprovante.

pparteneva il più grande degli stendardi e il più grande dei prati
a casa di Daisy Fay . Aveva appena diciotto anni,due anni più di me,e...
gran lunga la più popolare tra tutte le ragazze di Louisville. Lei
estito di bianco,e aveva una piccola roadster bianca,e tutto il giorno
telefono squillo in casa sua ed eccito i giovani ufficiali del campo
aylor ha chiesto il privilegio di monopolizzarla
otte. " Comunque,per un'ora!

uando arrivai davanti a casa sua quella mattina c'era la sua roadster
anca
ccanto al marciapiede,e lei era seduta lì con un mio tenente
ai visto prima. Erano così presi l'uno dall'altro che lei
on mi ha visto finché non sono stato a un metro e mezzo di distanza.

Ciao,Jordan " ,chiamò inaspettatamente. " Per favore vieni qui. "

ro lusingato che volesse parlare con me,a causa di tutto ciò
igazze più grandi la ammiravo di più. Mi ha chiesto se andavo al Rosso
oce per realizzare bende. Ero. Ebbene,allora,direi loro che lei
on potevi venire quel giorno? L'ufficiale guardò Daisy mentre lo faceva
irlando,in un modo in cui ogni ragazza vuole essere guardata
ialche volta,e poiché mi sembrava romantico,mi sono ricordato del
cidente da allora. Il suo nome era Jay Gatsby e non l' ho visto
nuovo per più di quattro anni ,anche dopo averlo **incontrato** a Long
and I
n **avevo** capito che era lo stesso uomo.

a il millenovecentodiciassette. L'anno successivo ho avuto alcuni fidanzati
stesso,e ho iniziato a giocare nei tornei,quindi non vedevo **molto** Daisy
pesso. Andava con un pubblico leggermente più grande ,quando andava
n qualcuno
fatto. Circolavano voci selvagge su di lei : come l'aveva fatta sua madre
o trovata a preparare la borsa una notte d'inverno per andare a New
ork e dire
ldio a un soldato che stava andando all'estero. Lo era effettivamente

impedito,ma non era in rapporti con la sua famiglia per
molte settimane. Da allora in poi non ha più giocato con i soldati
di più,ma solo con pochi giovani impreparati e miopi in città,
che non potevano affatto entrare nell'esercito.

Nell'autunno successivo era di nuovo gay,gay come sempre. Aveva ad é m
dopo l'armistizio,e in febbraio era presumibilmente fidanzata con a
uomo di New Orleans. A giugno sposò Tom Buchanan di Chicago,
con più pompa e circostanza di quanto Louisville avesse mai conosciuto
prima. Lui
scese con un centinaio di persone in quattro auto private e ne assunse
una
tutto il piano dell'Hotel Muhlbach,e il giorno prima del matrimonio lui
le diede un filo di perle valutato trecentocinquantamila
dollari.

Ero una damigella d'onore. Sono entrato nella sua stanza mezz'ora prima
cena nuziale,e la trovai sdraiata sul letto bella come il giugno
notte nel suo vestito a fiori - ed ubriaca come una scimmia. Aveva una
bottiglia
di Sauterne in una mano e una lettera nell'altra.

»" Fammi i complimenti » ,mormorò. " Non avevo mai bevuto qualcosa
prima,ma oh come
Mi diverto. "

» Che succede ,Daisy? "

Avevo paura,te lo posso dire; Non avevo mai visto una ragazza così
prima.

" Ecco,cari. Frugò nel cestino della carta straccia che aveva con sé
sul letto e tirò fuori il filo di perle. » Portali di sotto
e restituirli a chiunque appartengano. Racconta a tutti quello di Daisy
cambiala mia . Di': " Il cambio di "Daisy è ' ! mio"

Cominciò a piangere : pianse e pianse. Mi sono precipitato fuori e l'ho
trovata
di mia madre ,chiudemmo la porta e la facemmo fare un bagno freddo.
Non avrebbe lasciato andare la lettera. Lo portò con sé nella vasca
e l'ho strizzato in una palla bagnata,e lasciami solo lasciarlo nel
portasapone quando vide che stava andando in pezzi come la neve.

Ma non disse più una parola. Le abbiamo dato l'alcool di ammoniaca e
le mise del ghiaccio sulla fronte e la riagganciò al vestito,e metà
un'ora dopo,quando uscimmo dalla stanza,le perle ,erano in giro
il collo e l'incidente finì. Il giorno dopo alle cinque lei
sposò Tom Buchanan senza nemmeno un brivido e iniziò a
di tre mesi nei mari del sud.

Li ho visti a Santa Barbara quando sono tornati,e ho pensato di sì
non ho mai visto una ragazza così arrabbiata con suo marito. Se avesse
lasciato la stanza per a
un attimo dopo si guardava attorno,a disagio,e diceva: » Dov'è andato
Tom? " E
indossava l'espressione più astratta finché non lo vide entrare
porta. Era solita sedersi sulla sabbia con la testa in grembo accanto al
bra,strofinandogli le dita sugli occhi e guardandolo con
delizia insondabile. E stato toccante vederli insieme : ti ha creato
ridere in modo sommesso e affascinato. Questo accadde in agosto. Una
settimana dopo |
lasciò Santa Barbara Tom una notte si imbatté in un carro sulla strada di
Ventura,
e ha strappato una ruota anteriore dalla sua macchina. La ragazza che er
con lui salì
anche sui giornali,perché aveva il braccio rotto : era una delle
cameriere dell'Hotel Santa Barbara.

aprile successivo, Daisy ebbe la sua bambina e andarono in Francia per un anno. Li ho visti una primavera a Cannes,e poi a Deauville,e poi tornarono a Chicago per sistemarsi. Daisy era popolare in Chicago,come sai. Si muovevano con una folla veloce,tutti giovani e ricca e selvaggia,ma ne è uscita con un risultato assolutamente perfetto eputazione. Forse perché non beve . E, un grande vantaggio non bere tra gente che beve molto. Puoi tenere a freno la lingua e, noltre,puoi cronometrare qualsiasi piccola irregolarità in modo tale utti gli altri sono così ciechi che non vedono né si preoccupano. Forse Margherita non ha mai avuto una storia d'amore ,eppure c'è qualcosa in quella voce i lei ...

bbene,circa sei settimane fa,ha sentito per la prima volta il nome Gatsby empo in anni. E stato quando ti ho chiesto : ricordi? - se sapessi Gatsby a West Egg. Dopo che sei andato a casa lei è venuta nella mia tanza e,

ni svegliò e disse: " Quale Gatsby? " e quando l'ho descritto ,lo ero nezza addormentata - disse con la voce più strana che doveva essere uell'uomo.

o sapeva. Solo allora ho collegato questo Gatsby on l'ufficiale nella sua macchina bianca.

-- ---------------------

Quando Jordan Baker ebbe finito di raccontare tutto questo,avevamo sciato il Plaza er mezz'ora e stavamo guidando in una Victoria attraverso Central Park. sole era tramontato dietro gli alti appartamenti delle star del cinema li anni Cinquanta occidentali e le voci chiare dei bambini,già riunite ome i grilli sull'erba,si levavano nel caldo crepuscolo:

Sono lo sceicco d'Arabia . Il tuo amore mi appartiene. Di notte quando tai mi ,dormendo insinuerò nella tua tenda ...»

È stata una strana coincidenza " ,dissi.

Ma non è stata affatto una coincidenza. "

Perché no? "

Gatsby ha comprato quella casa in modo che Daisy fosse proprio all'altra parte della baia. "

llora non erano state soltanto le stelle a cui aveva aspirato lotte di giugno. E diventato vivo per me,liberato all'improvviso dal grembo l suo splendore senza scopo.

Vuole sapere » ,continuò Jordan,» se inviterai Daisy a casa tua casa un pomeriggio e poi lascialo venire. "

a modestia della richiesta mi ha scosso. Aveva aspettato cinque anni e omprò una villa dove dispensava la luce delle stelle a falene casuali,- così otrebbe " venire " qualche pomeriggio nel giardino di uno sconosciuto .

Dovevo sapere tutto questo prima che potesse chiedermi una cosa così iccola? "

Ha paura ,ha aspettato così a lungo. Pensava che potresti esserlo ffeso. Vedete,sotto sotto è un vero duro . "

Qualcosa mi preoccupava.

Perché non ti ha chiesto di organizzare un incontro? "

Vuole che lei veda la sua casa " ,ha spiegato. " E la tua casa lo è roprio accanto. "

" OH! "

» Penso che quasi si aspettasse che lei entrasse in una delle sue feste,a qualcuno
notte," continuò Jordan," ma non lo fece mai. Poi cominciò a chiedere
le persone casualmente se la conoscevano,e io ero il primo che trovò. Esso
è stata quella notte in cui mi ha mandato a chiamare al suo ballo,e avresti dovuto saperlo
Il modo elaborato in cui ci ha lavorato. Naturalmente,immediatamente
ha suggerito un pranzo a New York - e ho pensato che sarebbe impazzito:

'" Non voglio fare nulla di straordinario! ' continuava a dire. ' IO
voglio vederla proprio accanto.

» Quando ho detto che eri un amico particolare di Tom , ha iniziato a farlo
abbandonare l'intera idea. Non sa molto di Tom,però
dice che ha letto per anni un giornale di Chicago,giusto per caso
intravedere il nome di Daisy '.

Era ormai buio e mentre scendevamo sotto un ponticello ho messo il braccio
intorno alla spalla dorata di Jordan ,l'ho attirata verso di me e le ho chiesto
cenare. All'improvviso non pensavo più a Daisy e Gatsby,
ma di questa persona pulita,dura,limitata,che si occupava di universale
scetticismo,e che si appoggiò allegramente proprio nel mio cerchio
braccio. Una frase cominciò a rimbombarmi nelle orecchie con una sorta di inebriamento,
eccitazione: " Ci sono solo gli inseguiti,gli inseguitori,gli occupati e
lo stanco. "

" E Daisy dovrebbe avere qualcosa nella sua vita " ,mormorò Jordan
Me.

» Vuole vedere Gatsby? "

» Lei non deve saperlo. Gatsby non vuole che lei lo sappia. Tu sei _
dovevo semplicemente invitarla a prendere il tè. "

Superammo una barriera di alberi scuri,e poi la facciata della Cinquantanovesima
La strada,un blocco di delicata luce pallida,irradiava nel parco.
A differenza di Gatsby e Tom Buchanan,non avevo nessuna ragazza il cui volto disincarnato
fluttuavo lungo i cornicioni scuri e le insegne accecanti,e così mi accostai
la ragazza accanto a me,stringendomi le braccia. La sua bocca pallida e sprezzante
sorrise,e così la avvicinai di nuovo,questa volta al mio viso.

V

Quando tornai a casa a West Egg quella notte,per un attimo ebbi paura di ciò
la mia casa era in fiamme. Le due e l'intero angolo del
la penisola risplendeva di una luce che cadeva irreale sugli arbusti
e faceva sottili riflessi allungati sui fili stradali. Girando a
All'angolo vidi che era la casa di Gatsby ,illuminata dalla torre alla cantina.

All'inizio pensavo che fosse un'altra festa,una disfatta selvaggia che si era risolta
trasformarsi in un " nascondino " o " sardine nella scatola " con tutte le
casa aperta al gioco. Ma non c'era alcun suono. Entra solo nel vento
gli alberi,che facevano saltare i cavi e facevano spegnere e riaccendere le luci
ancora una volta,come se la casa avesse ammiccato nell'oscurità. Mentre il mio taxi gemeva

Il grande Gatsby

ontanandomi vidi Gatsby che veniva verso di me attraverso il suo prato.

Casa tua somiglia all'Esposizione Mondiale » dissi.

Davvero? - Voltò distrattamente lo sguardo verso di esso. " Sono stato
ando un'occhiata ad alcune stanze. Andiamo a Coney Island,vecchio
ort. Nella mia auto. "

È troppo tardi . "

Beh,che ne dici di fare un tuffo in piscina? Non l' ho fatto
sarlo tutta l'estate. "

Devo andare a letto. "

Va bene. "

spettò,guardandomi con un'ansia repressa.

Ho parlato con la signorina Baker " ,dissi dopo un momento. » Chiamerò

omani chiama Daisy e invitala qui per il tè. "

Oh,va tutto bene " ,disse con noncuranza. " Non voglio metterti
qualsiasi problema. "

Che giorno ti andrebbe bene? "

Che giorno ti andrebbe bene? " mi corresse velocemente. " Non voglio _
etterti nei guai,vedi. "

Che ne dici di dopodomani? "

fletté per un momento. Poi,con riluttanza: " Voglio ottenere il
rba tagliata " ,ha detto.

ntrambi guardammo l'erba : c'era una linea netta dove il mio
prato frastagliato finiva e cominciava la sua distesa più buia e ben tenuta.

ospettavo che si riferisse alla mia erba.

C'è altra'un piccola cosa » ,disse incerto ed esitò.

Preferiresti rimandare per qualche giorno? " Ho chiesto.

Oh,non è questo il punto. Almeno ...» Armeggiò con una serie di
zi. » Ebbene,ho pensato ... ecco,ascolta,vecchio mio,non ce la fai
olti soldi,vero? "

Non molto. "

uesto sembrò rassicurarlo e continuò con maggiore sicurezza.

Pensavo di no , se vuoi scusarmi ... vedi ,io continuo a
ochi affari secondari,una sorta di linea secondaria,capisci. E
ensavo che se non guadagni molto ,vendi obbligazioni ,
on è vero,vecchio mio? "

Provando a. "

Beh,questo ti interesserebbe. Non ti porterebbe via molto tempo
potresti guadagnare un bel po' di soldi. Sembra essere piuttosto
la cosa confidenziale. "

i rendo conto ora che in circostanze diverse quella conversazione
otrebbe essere stata una delle crisi della mia vita. Ma,perché l'offerta
ra ovviamente e senza tatto un servizio da rendere,non avevo
tra scelta se non quella di tagliarlo fuori lì.

Il grande Gatsby

" Ho le mani occupate " ,dissi. " Vi sono molto obbligato,ma non potrei intraprendere altro lavoro. "

Non » dovresti fare affari con Wolfsheim, Evidentemente lui pensavo che mi stessi allontanando dalla " gonnegtion " menzionata in pranzo,ma gli ho assicurato che si sbagliava. Aspettò ancora un momento speravo di iniziare una conversazione,ma ero troppo assorbito per esserlo reattivo,quindi tornò a casa controvoglia.

La serata mi aveva reso stordito e felice; Penso di essere entrato in a sonno profondo mentre entravo dalla porta di casa. Quindi non so se Gatsby è andato a Coney Island,o per quante ore " ha guardato dentro stanze " mentre la sua casa ardeva vistosamente. Ho chiamato Daisy dal ufficio la mattina dopo e la invitò a venire a prendere il tè.

» Non portare Tom » ,l'avvertii.

" Che cosa? "

» Non portare Tom. "

" Chi è ' Tom ' ? " chiese innocentemente.

Il giorno concordato pioveva a dirotto. Alle undici un uomo in a impermeabile,trascinando un tosaerba,ha bussato alla mia porta di casa e ha detto questo
Il signor Gatsby lo aveva mandato a tagliarmi l'erba. Questo mi ha ricordato che io
Avevo dimenticato di dire al mio Finn di tornare,così andai a West Egg Village per cercarla tra i vicoli imbiancati e per comprarla
alcune tazze,limoni e fiori.

I fiori non erano necessari,perché alle due arrivò una serra da Gatsby , con innumerevoli recipienti per contenerlo. Un'ora più tardi la porta d'ingresso si aprì nervosamente,e Gatsby in una flanella bianca
vestito,camicia argentata e cravatta color oro,entrò in fretta. Era pallido, e sotto i suoi occhi c'erano oscuri segni di insonnia.

" Va tutto bene? " chiese subito.

» L'erba sembra a posto,se è questo che intendi. "

" Che erba? " chiese senza espressione. " Oh,l'erba del cortile. " Lui l'ho guardato fuori dalla finestra,ma,a giudicare dalla sua espressione,non l so
credere di aver visto una cosa.

" Sembra molto bello " ,osservò vagamente. » Lo ha detto uno dei giornali pensavo che la pioggia sarebbe cessata verso le quattro. Penso che sia stato The
Rivista. Hai tutto ciò di cui hai bisogno sotto forma di ... di tè? "

L'ho portato nella dispensa,dove mi ha guardato con un po' di rimprovero il finlandese. Insieme abbiamo esaminato le dodici torte al limone del negozio di specialità gastronomiche.

" Lo faranno? " Ho chiesto.

" Certo certo! Stanno bene ! " e aggiunse con voce vuota: "... vecchio sport. "

La pioggia si raffreddò verso le tre e mezza fino a diventare una nebbia umida,attraverso la quale
occasionali gocce sottili nuotavano come rugiada. Gatsby guardò con occ vacui

Il grande Gatsby

ttraverso una copia di Clay s' Economics,a partire dal battistrada
nlandese
scosse il pavimento della cucina,e scrutò verso le finestre appannate.
i tanto in tanto come se si verificassero una serie di avvenimenti invisibili
na allarmanti
he si svolge all'esterno. Alla fine si alzò e mi informò,in un
oce incerta,che stava tornando a casa.

> Perché ? _ "

> Non verrà nessuno al tè . È troppo tardi ! " Guardò l'orologio come se
:'era qualche pressante richiesta di tempo da dedicare altrove. " Non vedo
ora
utto il giorno. "

> Non essere sciocco; mancano solo due minuti alle quattro. "

Si sedette miseramente,come se lo avessi spinto,e contemporaneamente
i udì il rumore di un motore che girava nella mia corsia. Entrambi abbiamo
saltato.
ni alzai e,anch'io un po' straziato,uscii nel cortile.

Sotto i lillà spogli e gocciolanti stava arrivando una grande automobile
scoperta
uidare. Si fermò. Il viso di Daisy ,inclinato di lato sotto un
appello tricorno color lavanda,mi guardò con uno sguardo luminoso
statico
orriso.

È proprio qui che vivi,mio caro? "

esaltante increspatura della sua voce era un tonico selvaggio sotto la
ioggia. IO
ovetti seguirne il suono per un momento,su e giù,con l'orecchio
a solo,prima che arrivassero le parole. Una ciocca di capelli umidi giaceva
ome un
n pizzico di vernice blu sulla sua guancia e la sua mano ne era bagnata
occe luccicanti mentre lo prendevo per aiutarla a scendere dall'auto.

Sei innamorato di me " ,disse in basso nel mio orecchio," o perché l'ho
atto
enire da solo? "

Questo è il segreto di Castle Rackrent. Di' al tuo autista di andare
ontano
ia e passare un'ora. "

Torna tra un'ora,Ferdie. " Poi con un mormorio grave: " Il suo nome è
erdie. "

La benzina gli fa male al naso? "

Non credo " ,disse innocentemente. " Perché? "

ntrammo. Con mia enorme sorpresa il soggiorno era deserto.

Beh,è divertente " ,esclamai.

Che cosa è divertente? "

ei girò la testa quando si udì bussare leggermente e dignitosamente alla
orta
orta d'ingresso. Sono uscito e l'ho aperto. Gatsby,pallido come la morte,
on i suoi
mani affondate come pesi nelle tasche del cappotto,stava in piedi in una
ozza d'acqua che mi fissa tragicamente negli occhi.

Con le mani ancora nelle tasche del cappotto mi ha affiancato
orridoio,girò bruscamente come se fosse su un filo e scomparve nel

Il grande Gatsby

soggiorno. Non era un po .divertente ' Consapevole del forte battito del mio
proprio cuore ho chiuso la porta contro la pioggia crescente.

Per mezzo minuto non ci fu alcun suono. Poi dal soggiorno I
udii una specie di mormorio soffocato e parte di una risata,seguito da
di Daisy su una nota chiara e artificiale:

" Certamente sono terribilmente felice di rivederti. "

Una pausa; ha resistito terribilmente. Non avevo niente da fare in corridoio,
quindi...
entrò nella stanza.

Gatsby,con le mani ancora in tasca,era adagiato contro il
caminetto in una contraffazione forzata di perfetta disinvoltura,anche di
noia. La sua testa si appoggiò così tanto all'indietro da appoggiarsi al viso
di un orologio da caminetto defunto,e da questa posizione è sconvolto
fissavano Daisy,che era seduta,spaventata ma aggraziata,
sul bordo di una sedia rigida.

» Ci siamo già incontrati » mormorò Gatsby. I suoi occhi si guardarono per un attimo
me,e le sue labbra si aprirono in un tentativo abortito di ridere.
fortunatamente
l'orologio colse questo momento per inclinarsi pericolosamente sotto la pressione del suo
testa,dopo di che si voltò e la afferrò con dita tremanti,e
rimetterlo a posto. Poi si sedette,rigido,con il gomito sul braccio
del divano e il mento in mano.

" Mi dispiace per l'orologio," disse.

Il mio viso aveva ormai assunto una profonda bruciatura tropicale. Non
sono riuscito a riprendermi
un solo luogo comune tra i mille che ho in testa.

" È un vecchio orologio " ,dissi loro idiotamente.

Penso che tutti abbiamo creduto per un momento che fosse andato in pezzi.
Il pavimento.

Non " ci vediamo da molti anni " ,ha detto Daisy,con la sua voce come
pratico come potrebbe mai essere.

" Cinque anni il prossimo novembre. "

La qualità automatica della risposta di Gatsby ci ha quantomeno
riportato indietro
un altro minuto. Li avevo entrambi in piedi con i disperati
suggerimento che mi aiutino a preparare il tè in cucina quando sono indemoniato
Finn lo portò su un vassoio.

In mezzo alla gradita confusione di tazze e torte un certo fisico
si affermò la decenza. Gatsby si mise nell'ombra e,.
mentre Daisy e io parlavamo,guardavamo coscienziosamente l'uno l'altro
di noi con gli occhi tesi e infelici. Tuttavia,poiché la calma non era una fine
stesso,ho trovato una scusa al primo momento possibile e sono arrivato a mio.
piedi.

" Dove stai andando? chiese Gatsby immediatamente allarmato.

" Tornerò . _ "

» Devo parlarti di una cosa prima che tu vada. "

Mi seguì come un pazzo in cucina,chiuse la porta e
sussurò: " Oh,Dio! " in modo miserabile.

Qual è il problema? "

Questo è un terribile errore " ,ha detto,scuotendo la testa da un lato
l'altro
to," un errore terribile,terribile. "

Sei solo imbarazzato ,tutto qui , " e per fortuna aggiunsi: " Daisy "
nche imbarazzato. "

È imbarazzata ? " ripeté incredulo.

Proprio come te. "

Non parlare così forte. "

Ti comporti come un ragazzino » ,esclamai impaziente. " Non solo
nello,ma sei scortese . Daisy è seduta lì tutta sola. "

lzò la mano per fermare le mie parole,mi guardò con sguardo
dimenticabile
mprovero,e,aperta cautamente la porta,rientrò nell'altra
amera.

scii dalla strada sul retro ,proprio come aveva fatto Gatsby quando aveva
itto il suo
rcuito nervoso della casa mezz'ora prima - e corse per un enorme
bero nodoso nero,le cui foglie ammassate formavano un tessuto contro

overe. Ancora una volta pioveva a dirotto,e il mio prato irregolare,ben
sato,passava
i Gatsby ,abbondava di piccole paludi fangose e preistoriche
aludi. Non c'era niente da guardare da sotto l'albero tranne
i Gatsby ,quindi la fissavo,come Kant davanti alla sua chiesa
ampanile,per mezz'ora. Un birraio l'aveva costruito all'inizio del " periodo "
ania,dieci anni prima,e si raccontava che lui avesse accettato di pagare
nque anni di tasse su tutti i cottage vicini se i proprietari lo
ermettessero
nno i tetti ricoperti di paglia. Forse il loro rifiuto ha preso il sopravvento
n tutto il cuore dal suo progetto di Fondare una Famiglia : si impegno
nmediatamente
eclino. I suoi figli vendettero la sua casa con ancora la ghirlanda nera
dosso
porta. Gli americani,pur essendo disposti,anzi desiderosi,a essere servi,lo
nno fatto
mpre stato ostinato a essere contadino.

opo,mezz'ora il sole tornò a splendere e anche l' automobile del
roghiere
Gatsby con la materia prima per i suoi servi
ena : erò sicuro che non ne avrebbe mangiato un cucchiaio. Una
ameriera cominciò ad aprire
finestre superiori della sua casa apparvero momentaneamente in
ascuna e,
porgendosi dalla grande baia centrale,sputò meditativamente nel
ardino. Era ora che tornassi indietro. Mentre continuava a piovere
embrava il mormorio delle loro voci,che si alzava e si gonfiava un po'
tanto in tanto con folate di emozione. Ma nel nuovo silenzio l'ho sentito
nche in casa era sceso il silenzio.

ono entrato ,dopo aver fatto ogni rumore possibile in cucina,a parte
pingendo sopra la stufa ,ma non credo che abbiano sentito un rumore.
ssi
ano seduti alle due estremità del divano,guardandosi come se
jalche domanda era stata posta,o era nell'aria,e ogni traccia di
nbarazzo era sparito. Il viso di Daisy era rigato di lacrime,e quando

Il grande Gatsby

Sono entrata,lei si è alzata di scatto e ha cominciato ad asciugarla con il
fazzoletto
davanti ad uno specchio. Ma c'è stato un cambiamento in Gatsby che è
stato semplice
confondente. Brillava letteralmente; senza una parola o un gesto di
Dall'esultanza un nuovo benessere irradiava da lui e riempiva il piccolo
camera.

" Oh,ciao,vecchio mio " ,disse,come se non mi vedesse da anni. IO
pensai per un momento che gli avrebbe stretto la mano.

" Ha smesso di piovere. "

" Davvero? " Quando capì di cosa stavo parlando,che c'erano
scintillanti campanelli di sole nella stanza,sorrise come un meteorologo,
come un estatico mecenate di luce ricorrente,e gli ripeté la notizia
Margherita. " Cosa ne pensi? Ha smesso di piovere. "

» Sono felice ,Jay. " La sua gola,piena di bellezza dolorosa e addolorata,
raccontò
solo della sua gioia inaspettata.

Voglio » che tu e Daisy veniate a casa mia » ,disse,» mi piacerebbe
portatela in giro. "

" Sei sicuro di volermi venire? "

" Assolutamente,vecchio mio. "

Daisy andò di sopra a lavarsi la faccia : troppo tardi,pensai
umiliazione dei miei asciugamani – mentre Gatsby e io aspettavamo sul
prato.

" La mia casa ha un bell'aspetto,non è vero? " chiese. " Guarda come va il
tutto
davanti cattura la luce. "

Ho convenuto che era splendido.

" Sì. Il suo sguardo lo percorse,ogni porta ad arco e ogni torre quadrata. "
Esso
Mi ci sono voluti solo tre anni per guadagnare i soldi che l'hanno compratc

" Pensavo che avessi ereditato i tuoi soldi. "

» L'ho fatto,vecchio mio » ,disse automaticamente,» ma ho perso la
maggior parte del tempo
il grande panico : il panico della guerra. "

Penso che quasi non sapesse cosa stesse dicendo,perché quando gli ho
chiesto cosa,
affari in cui si trovava,rispose: " Questi sono affari miei " ,prima di
rendersene conto
non era una risposta appropriata.

" Oh,ho partecipato a diverse cose " ,si corresse. " Ero nel
nel settore farmaceutico e poi nel settore petrolifero. Ma non ci sto
uno dei due adesso. " Mi guardò con più attenzione. " Vuoi dire
hai riflettuto su quello che ti ho proposto l'altra sera? "

Prima che potessi rispondere,Daisy uscì di casa e fece due file di
i bottoni d'ottone del suo vestito brillavano alla luce del sole.

" Quel posto enorme lì? " gridò indicando.

" Ti piace? "

Il grande Gatsby

' Mi piace,ma non vedo come si possa vivere lì da soli. "

' Lo tengo sempre pieno di gente interessante,notte e giorno. Persone
che fanno cose interessanti. Gente celebrata. "

nvece di prendere la scorciatoia lungo lo stretto,siamo scesi al
strada e vi si accede dalla grande postierla. Con mormorii incantevoli Daisy
ammirato questo aspetto o quello della sagoma feudale contro il cielo,
Ammirò i giardini,l'odore frizzante,e schiumoso delle giunchiglie
odore di biancospino e fiori di susino, e l'odore dell'oro pallido di
paciami-al-cancello. Era strano raggiungere i gradini di marmo e trovare
nessun movimento di abiti luminosi dentro e fuori dalla porta,e non sento
altro rumore
voci di uccelli tra gli alberi.

E dentro,mentre vagavamo per le sale da musica di Maria Antonietta e
Saloni di restauro,sentivo che dietro si nascondevano degli ospiti
ogni divano a tavolo,con l'ordine di rimanere in silenzio senza fiato fino a noi
era passato. Mentre Gatsby chiudeva la porta del " Merton College".
Biblioteca " Avrei giurato di aver sentito l'uomo dagli occhi da gufo
rompere
risata spettrale.

Salimmo le scale,attraversando camere da letto d'epoca avvolte in rose e
lavanda
setosi e vividi di fiori nuovi,attraverso spogliatoi e sale da biliardo,
e bagni con vasche incassate - intrusione in una camera dove a
Un uomo scarmigliato in pigiama stava facendo esercizi per il fegato sul
pavimento. Esso
era il signor Klipspringer,il " pensionante". " Lo avevo visto vagare affamato
riguardò alla spiaggia quella mattina. Alla fine arrivammo a casa di Gatsby
appartamento,una camera da letto,un bagno e lo studio di Adam ,dove
sedevamo
scese e bevve un bicchiere di Chartreuse che prese da un armadio
muro.

Non aveva mai smesso di guardare Daisy,e penso che la rivalutasse
ogni cosa nella sua casa secondo la misura della risposta che ne trasse
dai suoi occhi amati. A volte anche lui si guardava intorno
possedimenti in modo stordito,come se fossero reali e sorprendenti
presenza,niente di tutto ciò era più reale. Una volta quasi cadde a
rampa di scale.

La sua camera da letto era la stanza più semplice di tutte ,tranne dove si
trovava la cassettiera
guarnito con un set da toilette di puro oro opaco. Daisy prese il pennello
con gioia,e le lisciò i capelli,dopodiché Gatsby si sedette e
si fece schermare gli occhi e cominciò a ridere.

È la cosa più divertente ,vecchio mio " ,ha detto esilarante. " IO
non posso ... Quando provo a ... »

Aveva attraversato visibilmente due stati e stava entrando in a
terzo. Dopo l'imbarazzo e la gioia irragionevole era consumato
con meraviglia per la sua presenza. Era stato pieno dell'idea per così tanto
tempo,
ha sognato fino alla fine,ha aspettato a denti stretti,per così dire
parlare,ad un livello di intensità inconcepibile. Ora,nella reazione,
stava funzionando come un orologio troppo carico.

Riprendendosi in un minuto,aprì per noi due enormi brevetti
armadietti che contenevano i suoi abiti ammassati,le vestaglie e le cravatte,
e sue camicie,ammucchiate come mattoni in pile alte una dozzina.

Ho un uomo in Inghilterra che mi compra dei vestiti. Manda oltre a
selezione delle cose all'inizio di ogni stagione,primavera e autunno. "

Tirò fuori una pila di magliette e cominciò a lanciarle,una per una,

davanti a noi,camicie di lino puro,di seta spessa e di flanella pregiata,
che cadendo persero le pieghe e ricoprirono il tavolo
disordine varìopinto. Mentre lo ammiravamo,ne portava di più e di morbido
un ricco mucchio montato più in alto : camicie a righe,con volute e quadri
corallo e verde mela e lavanda e arancione tenue,con monogrammi di
blu indiano. All'improvviso,con un suono forzato,Daisy chinò la testa
le camicie e cominciò a piangere a dirotto.

" Sono magliette così belle",singhiozzò ,con la voce soffocata
pieghe spesse. " Mi rende triste perché non ho mai visto una cosa del
genere ... una cosa del genere
bellissime magliette prima. "

--- ---------------------

Dopo la casa dovevamo vedere i giardini e la piscina,e
l'idrovolante e i fiori di mezza estate ,ma fuori dalla finestra di Gatsby
ha ricominciato a piovere,quindi siamo rimasti in fila a guardare il cartone
ondulato
superficie del suono.

" Se non fosse per la nebbia potremmo vedere la tua casa dall'altra parte
della baia."
disse Gatsby. " Hai sempre una luce verde che arde tutta la notte
l'estremità del tuo molo."

Daisy lo prese all'improvviso sottobraccio,ma lui sembrava assorbito dalla
cosa
aveva appena detto. Forse gli era venuto in mente che il colossale
il significato di quella luce era ormai svanito per sempre. Rispetto al
la grande distanza che lo aveva separato da Daisy gli era sembrata molto
vicino a lei,quasi toccandola. Sembrava vicino come una stella
la luna. Adesso era di nuovo una luce verde su un molo. Il suo conteggio di
gli oggetti incantati erano diminuiti di uno.

Cominciai a camminare per la stanza,esaminando vari oggetti indefiniti
nella semioscurità. Una grande fotografia di un uomo anziano in yacht
il costume mi ha attratto,appeso al muro sopra la sua scrivania.

" Chi è ? "

" Quello? Quello è il signor Dan Cody,vecchio mio. "

Il nome suonava vagamente familiare.

Adesso » è morto . Era il mio migliore amico anni fa. "

C'era una piccola foto di Gatsby,anche lui in costume da yacht,sul
Bureau - Gatsby con la testa gettata all'indietro in segno di sfida -
apparentemente preso
quando aveva circa diciotto anni.

" Lo adoro " ,esclamò Daisy. " Il pompadour! Non me lo hai mai detto
aveva un pompadour - o uno yacht. "

" Guarda questo " ,disse rapidamente Gatsby. » Qui è'c un sacco di
ritagli ... a riguardo
Voi.

Rimasero fianco a fianco esaminandolo. Stavo per chiedere di vedere il
rubini quando squillò il telefono e Gatsby sollevò il ricevitore.

» Sì ... beh,non posso parlare adesso ... non posso parlare adesso,vecchio
mio ... ho detto a
piccola città ... Deve sapere cos'è una piccola città ... Beh,non gli serve a
niente
noi se Detroit è la sua idea di piccola città ..."

Ha riattaccato.

Il grande Gatsby

Vieni qui presto! - gridò Daisy alla finestra.

1 pioggia cadeva ancora,ma l'oscurità si era squarciata a ovest,
sopra il mare c'era un'ondata rosa e dorata di nuvole schiumose.

Guarda lì » ,sussurrò,e poi dopo un momento : » Mi piacerebbe
endi semplicemente una di quelle nuvole rosa,mettiti dentro e spingiti
giro.

lora ho provato ad andare,ma non ne hanno voluto sapere ; forse la mia
essenza
aceva sentire soli in modo più soddisfacente.

So cosa faremo " ,disse Gatsby," faremo suonare i Klipspringer"
anoforte. "

scì dalla stanza chiamando ". Ewing! " e tornò in pochi minuti
compagnato da un giovane imbarazzato,un po' consumato,con
chiali cerchiati di conchiglia e radi capelli biondi. Adesso stava
ecentemente
estito con una " camicia sportiva " ,aperta al collo,scarpe da ginnastica e
natra
ntaloni di una tonalità nebulosa.

Abbiamo interrotto il tuo esercizio? - chiese educatamente Daisy.

Stavo dormendo " ,esclamò il signor Klipspringer,in uno spasmo di
barazzo.
Cioè,stavo dormendo. Poi mi sono alzato ..."

Klipspringer suona il piano » disse Gatsby,interrompendolo. " Non _ _
,Ewing,vecchio mio? "

Non gioco bene. Io non gioco quasi per niente. Sono completamente
enza allenamento ..."

Andiamo di sotto » lo interruppe Gatsby. Ha premuto un interruttore. IL
finestre grigie scomparvero mentre la casa brillava piena di luce.

ella sala da musica Gatsby accese una lampada solitaria accanto al
anoforte.
ccese la sigaretta di Daisy con un fiammifero tremante e si sedette
n lei
un divano dall'altra parte della stanza,dove non c'era luce tranne quella
pavimento lucente rimbalzava dal corridoio.

uando Klipspringer ebbe suonato " The Love Nest " si voltò sul
nchina e cercò infelicemente Gatsby nell'oscurità.

Sono completamente fuori allenamento,vedi. Te l'avevo detto che non
tevo giocare . Sono tutto _
ori allenamento ...»

Non parlare così tanto,vecchio mio » ,ordinò Gatsby. " Giocare! "

La mattina,la sera,non ci siamo divertiti ..."

ori il vento era forte e si sentiva un debole tuono
suono. Adesso tutte le luci a West Egg erano accese; quello elettrico
eni,carichi di uomini,precipitavano verso casa sotto la pioggia da New
rk. Era l'ora di un profondo cambiamento umano,e l'eccitazione lo era
nerando in onda.

Una cosa è certa e niente è più sicuro I ricchi diventano sempre più
chi e il
veri ,bambini. Nel frattempo,nel frattempo ...»

entre mi avvicinavo per salutarmi ho visto l'espressione di

Il grande Gatsby

lo sconcerto era tornato sul volto di Gatsby ,come se ci fosse un vago dubbio
gli era venuto in mente il tipo della sua attuale felicità. Quasi cinque anni! Devono esserci stati momenti anche quel pomeriggio in cui Daisy non ha realizzato i suoi sogni ,non per colpa sua,ma a causa della colossale vitalità della sua illusione. Era andato oltre lei,al di là di tutto. Ci si era buttato con un creativo passione,aggiungendola continuamente,decorandola con ogni brillantezza piuma che si è spostata verso di lui. Nessuna quantità di fuoco o freschezza può farlo
sfida ciò che un uomo può immagazzinare nel suo cuore spettrale.

Mentre lo guardavo si aggiustò un po',visibilmente. La sua mano prese. la tenne stretta,e quando lei gli disse qualcosa a bassa voce all'orecchio lu si volto
verso di lei con un impeto di emozione. Penso che quella voce lo trattenesse di più
con il suo calore fluttuante,febbrile,perché non potrebbe essere sognato troppo : quella voce era una canzone immortale.

Mi avevano dimenticato,ma Daisy alzò lo sguardo e tese la mano; Gatsby ormai non mi conosceva affatto. Li ho guardati ancora una volta e loro
mi guardò,da lontano,posseduto da una vita intensa. Poi sono andato fuori dalla stanza e scesi i gradini di marmo sotto la pioggia,lasciandoli li insieme.

VI

Più o meno in questo periodo arrivò un giovane reporter ambizioso da New York
mattina davanti alla porta di Gatsby e gli chiese se aveva qualcosa da dire.

" Qualcosa da dire su cosa? - chiese educatamente Gatsby.

» Perché ... qualsiasi dichiarazione da rilasciare. "

Dopo cinque minuti confusi è emerso che l'uomo aveva sentito di Gatsby è presente nel suo ufficio in un contesto in cui anche lui lo avrebbe rivelato o non lo avrebbe compreso appieno. Questo era il su giorno libero e
con lodevole iniziativa era corso fuori " a vedere. "

Era uno scatto casuale,eppure l'istinto del giornalista aveva ragione. di Gatsby ,diffusa tra le centinaia di persone che l'avevano accettata l'ospitalità e il fatto di diventare così autorità sul suo passato,avevano aumentato tutto
estate fino a quando,non fece quasi notizia. Leggende contemporanee come ad esempio il " gasdotto sotterraneo verso il Canada " a cui si son attaccati
lui,c'era una storia persistente secondo cui non viveva in una casa affatto,ma su una barca che sembrava una casa e fu spostata di nascosto
su e giù per la costa di Long Island. Proprio perché queste invenzioni erano a
fonte di soddisfazione per James Gatz del North Dakota,non è facile Dire.

James Gatz : questo era davvero,o almeno legalmente,il suo nome. Lui aveva
l'ho cambiato all'età di diciassette anni e in quel momento specifico ha assistito all'inizio della sua carriera ,quando ha visto lo yacht di Dan Cody
gettare l'ancora sulla piana più insidiosa del Lago Superiore. Era James Gatz che quel pomeriggio oziava lungo la spiaggia in a maglia verde strappata e un paio di pantaloni di tela,ma era già Jay Gatsby che prese in prestito una barca a remi,si recò al Tuolomee,e

Il grande Gatsby

nformò Cody che il vento avrebbe potuto prenderlo e farlo a pezzi in un atter d'occhio ra.

mmagino che già allora avesse il nome pronto da molto tempo. Il suo genitori erano contadini inetti e senza successo : la sua immaginazione on li aveva mai realmente accettati come suoi genitori. La verità era he Jay Gatsby di West Egg,Long Island,sia nato dal suo platonico onçezione di se stesso. Era un figlio di Dio - una frase che,se ha un ignificato ualsiasi cosa,significa proprio questo - e deve occuparsi degli affari di Suo adre.,

l servizio di una bellezza vasta,volgare e meretrice. Quindi ha inventato roprio il tipo di Jay Gatsby che sarebbe un ragazzo di diciassette anni apace di inventare,e a questa concezione rimase fedele fino alla fine.

Per più di un anno si era fatto strada lungo la sponda meridionale del ago Superiore come cercatore di vongole e pescatore di salmoni o in ualsiasi altro apacità che gli procurava cibo e letto. Il suo corpo bruno e indurito iveva in modo naturale attraverso il lavoro per metà feroce e per metà igro dell'armatura iorni. Conobbe presto le donne,e poiché lo viziarono lo divenne prezzante di loro,delle giovani vergini perché ignoranti,di li altri perché erano isterici riguardo a cose che nel suo n travolgente egocentrismo che dava per scontato.

Ma il suo cuore era in costante e turbolento tumulto. Il più grottesco idee fantastiche lo perseguitavano di notte nel suo letto. Un universo di n'ineffabile sfarzosità si sviluppava nel suo cervello mentre l'orologio uonava cchettava sul lavabo e la luna intrisa di luce umida lo aggrovigliava estiti sul pavimento. Ogni notte aggiungeva qualcosa al suo schema antasie fino a quando la sonnolenza non si è conclusa su una scena vivida on un bbraccio ignaro. Per un po' queste fantasticherie fornirono uno sbocco a sua immaginazione; erano un accenno soddisfacente dell'irrealtà di ealtà,una promessa su cui era saldamente fondata la roccia del mondo la di una fata .

Un istinto verso la sua gloria futura lo aveva portato,alcuni mesi prima, l piccolo Collegio Luterano di St. Olaf nel Minnesota meridionale. Lui Rimase lì due settimane,sgomento per la sua feroce indifferenza nei onfronti del amburi del suo destino,al destino stesso,e disprezzando quello del ustode avoro con il quale avrebbe dovuto pagarsi il sostentamento. Poi tornò alla ormalità ago Superiore,e stava ancora cercando qualcosa da fare sul l Dan Cody gettò l'ancora nelle acque basse lungo la costa.

Cody allora aveva cinquant'anni,era un prodotto dei giacimenti d'argento del Nevada, ello Yukon,di ogni corsa al metallo dal settantacinque. IL ansazioni nel rame del Montana che lo hanno reso più volte milionario trovai fisicamente robusto ma al limite della debolezza mentale,e, ospettando ciò,un'infinità di donne tentarono di separarlo ai suoi soldi. Le ramificazioni non troppo gustose con cui Ella Kaye, giornalista,interpretava Madame de Maintenon per la sua debolezza e mandarono in mare su uno yacht,erano proprietà comune del turgido ornalismo nel 1902. Era stato fin troppo ospitale oste per troppi anni quando si presentò come il destino di James Gatz aia della Bambina.

l giovane Gatz,che si riposa sui remi e guarda la ringhiera del ponte, uello yacht rappresentava tutta la bellezza e il glamour del mondo. IO upponiamo che avesse sorriso a Cody : probabilmente aveva scoperto he alla gente piaceva

Il grande Gatsby

lui quando sorrideva. In ogni caso Cody gli fece alcune domande (una delle quali
hanno suscitato il nome nuovo di zecca) e ho scoperto che era veloce e
straordinariamente ambizioso. Pochi giorni dopo lo portò a Duluth e
gli comprò un cappotto blu,sei paia di pantaloni bianchi e un,.
berretto da yacht. E quando i Tuolomée partirono per le Indie Occidentali e
il
Barbary Coast,anche Gatsby se ne andò.

Era impiegato con una vaga capacità personale ,mentre rimaneva con
Cody era a sua volta steward,secondo,skipper,segretario e persino
carceriere,perché Dan Cody sobrio sapeva quali azioni sontuose Dan Cody
ubriaco
potrebbe presto arrivare,e lui ha provveduto a tali imprevisti
riponendo sempre più fiducia in Gatsby. L'accordo durò cinque
anni,durante i quali la barca fece tre volte il giro del Continente.
Sarebbe potuto durare indefinitamente se non fosse stato per il fatto che
Ella Kaye
una notte a Boston salì a bordo e una settimana dopo Dan Cody
morì in modo inospitale.

Ricordo il suo ritratto nella camera da letto di Gatsby grigio,florido
un uomo dalla faccia dura e vuota : il pioniere dissoluto,che durante uno
fase della vita americana riportò i selvaggi sulla costa orientale
violenza dei bordelli e dei saloon di frontiera. Era indirettamente dovuto a
Cody,che Gatsby beveva così poco. A volte nel corso del gay
alle feste le donne gli strofinavano lo champagne sui capelli; per se stesso
lui
prese l'abitudine di lasciare stare gli alcolici.

Ed è stato da Cody che ha ereditato il denaro : un'eredità di venticinque
mille dollari. Non l'ha capito . Non ha mai capito la legalità
dispositivo che è stato utilizzato contro di lui,ma ciò che è rimasto dei
milloni
è andato intatto a Ella Kaye. Gli rimase il suo aspetto singolarmente
appropriato
formazione scolastica; il vago contorno di Jay Gatsby si era riempito
sostanzialità di un uomo.

--- ---------------------

Tutto questo me lo raccontò molto tempo dopo,ma 'l ho messo qui
l'idea di sfatare quelle prime voci selvagge sui suoi antecedenti,
che non erano nemmeno lontanamente veri. Inoltre me lo raccontò una
volta
di confusione,quando ero arrivato al punto di credere a tutto e
niente su di lui. Quindi approfittò di questa breve sosta,intanto
Gatsby,per così dire,trattenne il fiato,per cancellare questa serie di
allontanare le idee sbagliate.

Fu anche una battuta d'arresto nella mia associazione con i suoi affari. Per
diversi
settimane che non lo vedevo né sentivo la sua voce al telefono — per lo più
ero presente
New York,andavo in giro con Jordan e cercavo di ingraziarmi
con la sua zia senile - ma alla fine una domenica andai a casa sua
pomeriggio. Non ero lì da nemmeno due minuti quando qualcuno portò
Tom
Buchanan è qui per un drink. Ero sorpreso,naturalmente,ma davvero
la cosa sorprendente è che non era successo prima.

Erano un gruppo di tre persone a cavallo : Tom e un uomo di nome Sloane
e
una bella donna in abito da equitazione marrone,che era stata lì prima.

" Sono felice di vederti " ,disse Gatsby,in piedi sulla veranda. " Io sono _
felice che tu sia passato. "

Come se gli importasse!

Il grande Gatsby

Siediti subito. Prendi una sigaretta o un sigaro. " Camminò intorno al
:anza velocemente,suonando il campanello. " Avrò qualcosa da bere per
olo un minuto. "

ra profondamente colpito dal fatto che Tom fosse lì. Ma lui
arebbe stato comunque a disagio finché non avesse dato loro qualcosa,
1 modo vago per cui erano venuti solo per quello. Il signor Sloane voleva
ente. Una limonata? No grazie. Un po' di champagne? Niente di niente,
azie ... mi —dispiace _ _

Hai fatto un bel giro? "

Strade molto buone da queste parti. "

Immagino che le automobili ...»

Si. "

osso da un impulso irresistibile,Gatsby si rivolse a Tom,che l'aveva fatto
:cettò la presentazione come estraneo.

Credo che ci siamo già incontrati da qualche parte,signor Buchanan. "

Oh,sì " ,disse Tom,burbero ed educato,ma ovviamente non ricordava.
Così abbiamo fatto. Ricordo molto bene. "

Circa due settimane fa. "

Giusto . _ Eri qui con Nick. "

Conosco tua moglie " ,continuò Gatsby,quasi in modo aggressivo.

È così? "

om si è rivolto a me.

Vivi qui vicino,Nick? "

Porta accanto. "

È così? "

signor Sloane non intervenne nella conversazione,ma rimase in disparte
:ezzosamente sulla sedia; anche la donna non disse nulla ,finché
aspettatamente,dopo due highball,divenne cordiale.

Verremo tutti alla sua prossima festa,signor Gatsby " ,suggerì.
Che ne dici? "

Certamente; Sarei felice di averti. "

Sii molto gentile " ,disse il signor Sloane,senza gratitudine. » Bene ,
nsaci bene
ziare a casa. "

Per favore,non abbiate fretta » ,li esortò Gatsby. Aveva il controllo di se
esso
esso,e voleva vedere di più di Tom. » Perché non ... perché non lo fai ?
stare a cena? Non mi sorprenderei se cadessero altre persone
 New York. "

Vieni a cena con me " ,disse la signora con entusiasmo. " Entrambi
oi. "

uesto includeva me. Il signor Sloane si alzò in piedi.

Il grande Gatsby

" Vieni " ,disse ,ma solo a lei.

" Dico sul serio " ,ha insistito. " Mi piacerebbe averti. Tanto spazio. "

Gatsby mi guardò con aria interrogativa. Voleva andare e non ha visto
che il signor Sloane aveva deciso che non avrebbe dovuto .

" Temo di non " riuscirci ,dissi .

» Bene,vieni » lo esortò,concentrandosi su Gatsby.

Il signor Sloane le mormorò qualcosa vicino all'orecchio.

" Non faremo tardi se cominciamo adesso " ,insistette ad alta voce.

" Non ho un cavallo " ,disse Gatsby. " Andavo nell'esercito,ma
Non ho mai comprato un cavallo. Dovrò seguirti con la mia macchina.
Scusa
io solo per un minuto. "

Il resto di noi uscì sulla veranda,dove Sloane e la signora
iniziò un'appassionata conversazione a parte.

" Mio Dio,credo che quell'uomo stia arrivando " ,disse Tom. » Non la
conosce?
non lo vuole? "

" Dice che lo vuole. "

" Lei ha una grande cena e lui non conoscerà nessuno. " Lui
aggrottò la fronte. » Mi chiedo dove diavolo abbia incontrato Daisy. Per Dio
forse lo sono
le mie idee sono antiquate,ma al giorno d'oggi le donne corrono troppo per
farlo
soddisfami. Incontrano tutti i tipi di pesci pazzi. "

All'improvviso il signor Sloane e la signora scesero le scale e montarono
i loro cavalli.

» Avanti » ,disse il signor Sloane a Tom,» siamo in ritardo. Dobbiamo
andare . "E
poi a me: " Digli che non vedevamo l' ora ,eh? "

Tom e io ci siamo stretti la mano,il resto di noi ci siamo scambiati un
freddo cenno della testa,e loro.
trotterello velocemente lungo il viale,scomparendo sotto il fogliame
d'agosto
proprio mentre Gatsby,con cappello e soprabito leggero in mano,usciva da
porta d'ingresso.

Evidentemente Tom era turbato dal fatto che Daisy corresse in giro da
sola,per ora
il sabato sera successivo andò con lei a casa di Gatsby
festa. Forse la sua presenza ha dato alla serata la sua qualità peculiare
oppressività : nella mia memoria si distingue dagli altri partiti di Gatsby
quell'estate. C'erano le stesse persone,o almeno lo stesso tipo di persone
gente,la stessa profusione di champagne,gli stessi colori variopinti,
confusione multi-corde,ma sentivo qualcosa di sgradevole nell'aria,a
una durezza pervasiva che prima non c'era. O forse l'avevo fatto
semplicemente abituato ad esso,cresciuto per accettare West Egg come
un mondo completo
in sé,con i propri standard e le proprie grandi figure,secondo a
niente perché non aveva coscienza di esserlo,e ora lo ero
guardandolo di nuovo,attraverso gli occhi di Daisy . E invariabilmente trist
guardare con occhi nuovi le cose per le quali hai speso il tuo
propri poteri di aggiustamento.

Il grande Gatsby

Arrivarono al crepuscolo e,mentre passeggiavamo tra le luci scintillanti centinaia,la voce di Daisy le giocava bruschi scherzi in gola.

Queste cose mi eccitano così tanto " ,sussurrò. " Se vuoi baciarmi in qualsiasi momento della serata,Nick,fammelo sapere e ne sarò felice per organizzarlo per te. Basta menzionare il mio nome. Oppure presenta una carta verde.
Distribuirò il verde ..."

Guardati intorno " ,suggerì Gatsby.

Mi sto guardando intorno. Mi sto divertendo meravigliosamente ..."

Devi vedere i volti di molte persone di cui hai sentito parlare. "

di Tom vagavano tra la folla.

Non andiamo molto in giro," ,ha detto; " In effetti,stavo proprio pensando Non conosco un'anima qui. "

Forse conosci quella signora. " Gatsby indicò uno splendido,a malapena orchidea umana di una donna che sedeva solenne sotto un susino bianco. om.
e Daisy la fissò,con quella sensazione particolarmente irreale che accompagna
riconoscimento di una celebrità fino ad allora spettrale del cinema.

È adorabile " ,disse Daisy.

L'uomo chinato su di lei è il suo regista. "

i portò cerimoniosamente da un gruppo all'altro:

La signora Buchanan ... e il signor Buchanan ..." Dopo un istante di sitazione,lui
a aggiunto: " il giocatore di polo. "

Oh no » ,obiettò subito Tom,» non io. "

Ma evidentemente il suono piacque a Gatsby perché Tom rimase " il giocatore di polo " per il resto della serata.

Non ho " mai incontrato così tante celebrità " ,ha esclamato Daisy. " Mi è piaciuto
omo ... come si chiamava? - con quella specie di naso blu. "

Gatsby lo identificò,aggiungendo che era un piccolo produttore.

Beh,mi piaceva comunque. "

Preferirei non essere un giocatore di polo " ,disse Tom amabilmente, Preferisco guardare tutti questi personaggi famosi ... nell'oblio. "

Daisy e Gatsby ballarono. Ricordo di essere rimasto sorpreso dalla sua grazia,
oxtrot conservatore : non l'avevo mai visto ballare prima. Allora loro ono andato a casa mia e mi sono seduto sui gradini per mezz'ora, nentre su sua richiesta restavo vigile in giardino. " Nel caso è un incendio o un'alluvione " ,ha spiegato," o qualsiasi atto divino. "

om emerse dal suo oblio mentre eravamo seduti a cena insieme. " Ti dispiace se mangio con alcune persone qui? " Lui isse. » Un tizio sta facendo delle cose divertenti. "

Vai avanti " ,rispose Daisy cordialmente," e se vuoi eliminare qualcuna ndirizzi,ecco la mia piccola matita d'oro. " ... Si guardò intorno dopo a nomento e mi ha detto che la ragazza era " comune ma carina " ,e lo apevo

a parte la mezz'ora in cui era rimasta sola con Gatsby,non lo era
stare bene.

Eravamo a un tavolo particolarmente ubriaco. È stata colpa mia : Gatsby
l'aveva fatto
stato chiamato al telefono,e mi sono divertito con queste stesse persone
solo in due
settimane prima. Ma ciò che mi aveva divertito è poi diventato settico
nell'aria
Ora.

» Come si sente,signorina Baedeker? "

La ragazza a cui si rivolgeva stava tentando,senza successo,di accasciarsi
contro il mio
spalla. A questa domanda si sedette e aprì gli occhi.

" Cos'è ? " "

Una donna massiccia e letargica,che aveva invitato Daisy a giocare a golf
con lei domani al club locale,parlò in difesa della signorina : Baedeker

» Oh,sta bene adesso. Quando avrà bevuto cinque o sei cocktail,lei
inizia sempre a urlare così. Le dico che dovrebbe lasciarlo
solo. "

» Lascio perdere » ,affermò con voce vuota l'imputato.

" Vi abbiamo sentito urlare,così ho detto al qui presente dottor Civet: ' C'è
qualcuno
ha bisogno del tuo aiuto,dottore. '"

" Lei mi è molto obbligata,ne sono sicuro " ,disse un altro amico,senza
gratitudine, " ma le hai bagnato tutto il vestito quando le hai infilato la testa
la piscina. "

" Tutto ciò che odio è rimanere con la testa incastrata in una piscina " ,
borbottò la signorina
Baedeker. " Una volta nel New Jersey mi hanno quasi annegato. "

" Allora dovresti lasciar perdere " ,ribatté il dottor Civet.

" Parla per te! - gridò violentemente la signorina Baedeker. " La tua mano
trema. Non ti permetterei di operarmi!"

Era così. Quasi l'ultima cosa che ricordo è stata stare con lui
Daisy e guarda il regista cinematografico e la sua stella. Li avevamo
ancora sotto il susino bianco e i loro volti si toccavano tranne
per un pallido,sottile raggio di luna in mezzo. Mi è venuto in mente che lui
si era chinato molto lentamente verso di lei per tutta la sera per
raggiungere questo obiettivo
vicinanza,e anche mentre lo guardavo lo vidi chinarsi di un ultimo
laurea e baciarla sulla guancia.

" Mi piace " ,disse Daisy," penso che sia adorabile. "

Ma il resto la offendeva ,e indiscutibilmente perché non era un gesto
ma un'emozione. Era sconvolta da West Egg,una cosa senza precedenti
" luogo " che Broadway aveva generato da una pesca di Long Island
villaggio - sconvolto dal suo crudo vigore che irritava il vecchio
eufemismi e dal destino troppo invadente che ha gremito i suoi abitanti
lungo una scorciatoia dal nulla al nulla. Ha visto qualcosa di terribile dentro
proprio la semplicità che non riusciva a capire.

Mi sono seduto sui gradini con loro mentre aspettavano la loro macchina.
Era buio qui davanti; solo la porta luminosa mandava dieci piedi quadrati
di luce che si riversava nel morbido e nero mattino. A volte un'ombra

mosse contro la tenda dello spogliatoio in alto,lasciò il posto a un'altra
mbra,
na processione indefinita di ombre,che imbellettate e incipriate in un
etro invisibile.

Chi è questo Gatsby,comunque? chiese Tom all'improvviso. " Alcuni
randi
ontrabbandiere? "

Dove 'l hai sentito? ",ho chiesto.

Non l' ho sentito. L'ho immaginato. Molti di questi nuovi ricchi lo sono
olo grandi contrabbandieri,sai. "

Non Gatsby » ,dissi brevemente.

ra silenzioso per un momento. I ciottoli del vialetto scricchiolarono
suoi piedi.

Be',sicuramente deve aver fatto uno sforzo per procurarsi questo
erraglio,
sieme. "

na brezza mosse la foschia grigia del collo di pelliccia di Daisy .

Almeno sono più interessanti delle persone che conosciamo " ,ha detto
on uno sforzo.

Non sembravi così interessato. "

Beh,lo ero. "

om rise e si voltò verso di me.

Hai notato la faccia di Daisy quando quella ragazza le ha chiesto di
netterla sotto?
na doccia fredda? "

aisy cominciò a cantare seguendo la musica in un sussurro roco e
tmico,
cendo emergere in ogni parola un significato che non aveva mai avuto
rima e
on lo avrei mai più fatto. Quando la melodia si alzò,la sua voce si spezzò
olcemente,seguendolo,come fanno le voci di contralto,e ciascuna cambia
versò nell'aria un po' della sua calda magia umana.

Vengono molte persone che non sono state invitate " ,ha detto
ll'improvviso. " Quella ragazza non era stata invitata. Semplicemente si
nno strada con la forza
l é troppo educato per opporsi. "

Mi piacerebbe sapere chi è e cosa fa " ,ha insistito Tom. " E io
enso che mi impegnerò a scoprirlo. "

Posso dirtelo adesso " ,rispose. " Possedeva alcune farmacie,a
olte farmacie. Li ha costruiti lui stesso. "

a lentezza della limousine arrivò lungo il viale.

Buonanotte,Nick " ,disse Daisy.

suo sguardo mi lasciò e cercò la, cima illuminata dei gradini,dove
Three O ' Clock in the Morning " ,un piccolo valzer pulito e triste di
uell'anno,
ava uscendo dalla porta aperta. Dopotutto,nella stessa casualità di
Gatsby c'erano possibilità romantiche totalmente assenti
suo mondo. Cosa c'era lassù nella canzone che sembrava chiamare?
è tornata dentro? Cosa sarebbe successo adesso,nelle ore buie e
calcolabili?

Il grande Gatsby

Forse sarebbe arrivato qualche ospite incredibile,una persona infinitamente rara
e di cui meravigliarsi,una giovane ragazza autenticamente radiosa che con
uno sguardo nuovo a Gatsby,un momento di incontro magico,lo farebbero
cancella quei cinque anni di incrollabile devozione.

Rimasi fino a tardi quella notte. Gatsby mi ha chiesto di aspettare finché
non fosse libero,
e rimasi in giardino finché non ebbe luogo l'inevitabile festa in piscina
correre,gelido ed esaltato,dalla spiaggia nera,fino alle luci
sono stati spenti nelle camere soprastanti. Quando scese dal
passi,finalmente la pelle abbronzata era insolitamente tesa sul suo viso,
e i suoi occhi erano luminosi e stanchi.

" Non le è piaciuto ",disse immediatamente.

" Certo che l'ha fatto. "

" Non le è piaciuto " ,ha insistito. Non " si è divertita. "

Rimase in silenzio e intuii la sua indicibile depressione.

" Mi sento lontano da lei " ,ha detto. " E ' difficile convincerla
capire. "

" Vuoi dire del ballo? "

" La danza?, " Ha liquidato tutti i balli che aveva dato con uno schiocco di
le sue dita. " Vecchio mio,il ballo non è importante. "

Non voleva niente di meno da Daisy se non che andasse da Tom e
dire; "Non ti ho mai amato." Dopo aver cancellato quattro anni con
quella frase potrebbero decidere le misure più pratiche da adottare
preso. Una di queste era che,una volta liberata,sarebbero tornati indietro
a Louisville e sposarsi da casa sua proprio come se fossero cinque
anni fa.

" E lei non capisce " ,ha detto. " Lei era in grado di farlo
capire. Stavamo seduti per ore ... "

Si interruppe e cominciò a camminare su e giù per un desolato sentiero
pieno di frutta
scorze e bomboniere scartate e fiori schiacciati.

» Non le chiederei troppo » ,azzardai. Non " puoi ripetere il
passato. "

Non " puoi ripetere il passato? " esclamò incredulo. » Certo che tu
Potere! "

Si guardò intorno selvaggiamente,come se il passato fosse in agguato qui
ombra della sua casa,appena fuori dalla portata delle sue mani.

" Rimetterò tutto a posto com'era prima " ,disse,
annuendo deciso. » Vedrà . _

Ha parlato molto del passato e ho capito che voleva farlo
recuperare qualcosa,forse qualche idea di se stesso,che era andato dentro
l'amorevole Margherita. Da allora la sua vita era stata confusa e
disordinata,
ma se potesse una volta ritornare ad un certo punto di partenza e
ripercorrerlo
tutto lentamente,avrebbe potuto scoprire cosa fosse quella cosa ...

... Una notte d'autunno,cinque anni prima,stavano passeggiando lungo il
strada mentre le foglie cadevano,e arrivarono in un luogo dove
non c'erano alberi e il marciapiede era bianco di luna. Essi
si fermarono qui e si voltarono l'uno verso l'altro. Adesso era una bella
notte

con quella misteriosa eccitazione che deriva dai due cambiamenti dell'anno. Le luci silenziose nelle case ronzavano nell'aria oscurità e ci fu trambusto tra le stelle. Fuori da con la coda dell'occhio Gatsby vide che i blocchi dei marciapiedi erano davvero

formò una scala e salì in un luogo segreto sopra gli alberi : poteva farlo arrampicarsi su di esso,se si arrampicasse da solo,e una volta lì potrebbe succhiare il pappa di vita,trangugia l'incomparabile latte della meraviglia.

l suo cuore batteva più forte quando il viso bianco di Daisy si avvicinò al suo. Lui o sapeva quando baciò questa ragazza e sposò per sempre il suo indicibile visioni del suo respiro deperibile,la sua mente non si sarebbe mai più scatenata

a mente di Dio. Così aspettò,ascoltando ancora per un momento il diapason che era stato colpito da una stella. Poi la baciò. A al tocco delle sue labbra lei sbocciò per lui come un fiore e il incarnazione era completa.

Nonostante tutto quello che ha detto,anche attraverso il suo spaventoso sentimentalismo,lo ero ricordato qualcosa : un ritmo sfuggente,un frammento di parole perdute, che avevo sentito da qualche parte molto tempo fa. Per un attimo una rase cercarono di prendere forma nella mia bocca e le mie labbra si aprirono come quelle di un muto , come se su di loro ci fosse più lotta che un briciolo di stupore aria. Ma non emettevano alcun suono,e quello che quasi ricordavo lo era ncomunicabile per sempre.

VII

Fu quando la curiosità per Gatsby raggiunse il suo massimo che si accesero le luci a casa sua,non riuscì ad andare un sabato sera - e,oscuramente come era cominciato,la sua carriera come Trimalcione era finita. Solo gradualmente l'ho fatto rendersi conto che le automobili che si trasformavano in attesa nelle sue viaggio,si fermò solo per un minuto e poi se ne andò imbronciato. Meravigliato se era malato andavo a scoprirlo : un maggiordomo sconosciuto con a Una faccia malvagia mi guardò sospettosa dalla porta.

" Il signor Gatsby è malato? "

" No. Dopo una pausa aggiunse " signore " in modo dilatorio e riluttante .

Non " lo avevo visto in giro ed ero piuttosto preoccupato. Digli,Sig. Carraway si avvicinò. "

" Chi? " chiese sgarbatamente.

" Carway. "

" Carway. Va bene,glielo dirò. "

All'improvviso sbatté la porta.

mio finlandese mi ha informato che Gatsby aveva licenziato tutti i suoi servitori casa una settimana fa e li ha sostituiti con una mezza dozzina di altri,che mai andò nel villaggio di West Egg per essere corrotti dai commercianti,ma gli u ordinato forniture moderate al telefono. Lo ha riferito il garzone del droghiere a cucina sembrava un porcile e,secondo l'opinione generale, villaggio era che le nuove persone non erano affatto servi.

Il grande Gatsby

Il giorno dopo Gatsby mi chiamò al telefono.

" Andando via? ",ho chiesto.

» No,vecchio mio. "

" Ho sentito che hai licenziato tutti i tuoi servi. "

" Volevo qualcuno che **non facesse** pettegolezzi. Daisy si avvicina silenziosamente
spesso - nel pomeriggio. "

Quindi l'intero caravanserraglio era crollato come un castello di carte disapprovazione nei suoi occhi.

" Sono **alcune** persone per cui Wolfsheim voleva fare qualcosa. Sono tutti

fratelli e sorelle. Gestivano un piccolo albergo. "

" Vedo. "

Ha chiamato su richiesta di Daisy : volevo venire a pranzo da lei?
casa domani? La signorina Baker sarebbe stata lì. Mezz'ora dopo Daisy
lei stessa telefonò e sembrò sollevata di scoprire che lo ero
in arrivo. Qualcosa non andava. Eppure non potevo **credere** che lo
avrebbero fatto
scegli questa occasione per una scena ,soprattutto per quella piuttosto straziante
scena che Gatsby aveva delineato nel giardino.

Il giorno successivo era bollente,quasi l'ultimo,sicuramente il più caldo
l'estate. Solo quando il mio treno uscì dal tunnel alla luce del sole
i fischi caldi della Compagnia Nazionale dei Biscotti ruppero il ribollire
silenzio a mezzogiorno. I sedili di paglia dell'auto incombevano sul bordo
combustione; la donna accanto a me ha sudato delicatamente per un po'
la sua camicia bianca,e poi,mentre il giornale si inumidiva sotto di lei
dita,caddero disperatamente nel calore profondo con un grido desolato.
Suo
portafoglio schiaffeggiato a terra.

" Oh mio! " ansimò.

Lo raccolsi con una curva stanca e glielo restituii,tenendolo in mano
alla distanza **del braccio** e dalla punta estrema degli angoli per indicarlo
Non avevo intenzione di farlo ,ma tutti quelli che erano lì vicino,compresa la donna,
sospettavo di me lo stesso.

" Caldo! " ha detto il conduttore a volti familiari. " Un po' di tempo! ... Caldo!
...
Caldo! ... Caldo! ... Fa abbastanza caldo per te? Fa caldo? È ...? "

Il mio biglietto di commutazione mi è tornato in mente con una macchia
scura sulla sua mano.
Che qualcuno si preoccupasse con questo caldo di chi baciò le labbra arrossate,
la cui testa gli faceva inumidire la tasca del pigiama sul cuore!

... Attraverso l'atrio della casa **dei Buchanan** soffiava un vento debole, portante
Il suono del telefono squillò a me e Gatsby mentre aspettavamo
la porta.

» Il corpo **del maestro** ? - ruggì il maggiordomo nel microfono. " Io **sono**

mi dispiace,signora,ma non possiamo **fornirlo** : fa troppo **caldo** per toccarlo ezzogiorno! "

ne in realtà disse fu: " Sì ... sì ... vedrò . "

osò il ricevitore e venne verso di noi,leggermente luccicante,per
endi i nostri rigidi cappelli di paglia.

.a signora vi aspetta nel salone! " gridò,indicando inutilmente il
ezione. Con questo caldo ogni gesto in più era un affronto al
serva comune di vita.

.stanza,ben ombreggiata dalle tende,era buia e fresca. Margherita e
Giordano giaceva su un enorme divano,come idoli d'argento appesantiti
oro abiti bianchi contro la brezza canterina dei fan.

on " possiamo muoverci " ,hanno detto insieme.

. Jordan ,incipriate di bianco sopra l'abbronzatura,si riposarono per un
omento
l mio.

E il signor Thomas Buchanan,l'atleta? ",ho chiesto.

ontemporaneamente sentii la sua voce,burbera,ovattata,roca,nell'atrio
lefono.

atsby stava al centro del tappeto cremisi e si guardava intorno
chi affascinati. Daisy lo guardò e rise,in modo dolce ed emozionante
ere; un minuscolo sbuffo di polvere si sollevò dal suo seno nell'aria.

Si vocifera » ,sussurrò Jordan,» che quella ...sulla sia la ragazza di Tom
lefono. "

avamo in silenzio. La voce nella sala si alzò irritata: " Molto
h allora non ti vendo affatto la macchina ... no ho alcun obbligo
te ... e quanto al fatto che mi hai disturbato all'ora di pranzo,io
n lo sopporterò affatto! "

Tenendo premuto il ricevitore » ,disse cinicamente Daisy.

No,non lo è " ,le assicurai. " E ' un affare in buona fede. mi capita
perlo. "

m spalancò la porta,ne bloccò per un attimo lo spazio con la sua
rpo grosso,e si affrettò nella stanza.

Signor Gatsby! " Allungò la sua mano ampia e piatta,ben nascosta
ti patia. » Sono felice di vederla,signore ... Nick ...»

Preparaci una bevanda fresca " ,gridò Daisy.

entre lui lasciava di nuovo la stanza,lei si alzò e andò da Gatsby
abbassò il viso,baciandolo sulla bocca.

.o sai che ti amo » ,mormorò.

Dimentichi che c'è una signora presente " ,disse Jordan.

iisy si guardò attorno dubbiosa.

Bacia anche tu Nick. "

Che ragazza bassa e volgare! "

Non mi interessa ! - gridò Daisy,e cominciò ad accendere il caminetto di
attoni.
i ricordò del caldo e si sedette con aria colpevole sul divano
entre un'infermiera fresca di bucato con una bambina entrava nella
anza.

» Benedetto tesoro » ,canticchiò,tendendo le braccia. " Vieni al tuo tua madre che ti ama. "

Il bambino,abbandonato dall'infermiera,si precipitò attraverso la stanza e radicato timidamente nel vestito di sua madre .

" Il benedetto prezioso! La mamma ha messo della polvere sul tuo vecchio giallo capelli? Alzati adesso e dì : " Come va?". "

Gatsby e io a turno ci chinammo e prendemmo la piccola mano riluttante. Successivamente continuò a guardare il bambino con sorpresa. Non cred che lui aveva mai veramente creduto alla sua esistenza prima.

" Mi sono vestita prima di pranzo " ,disse il bambino,voltandosi con impazienza Margherita.

» È perché tua madre voleva metterti in mostra. Il suo viso si abbassò nell'unica ruga del piccolo collo bianco. " Tu sogni,tu. Voi piccolo sogno assoluto. "

" Sì " ,ammise con calma il bambino. » La zia Jordan indossa un vestito bianco pure. "

" Ti piacciono gli amici di mamma ? Daisy la fece girare in quel modo affrontò Gatsby. " Pensi che siano carini? "

» Dov'è papà ? "

" Non assomiglia a suo padre " ,ha spiegato Daisy. " Lei sembra Me. Ha i miei capelli e la forma del mio viso. "

Daisy si appoggiò allo schienale del divano. L'infermiera fece un passo avan e resistette tese la mano.

» Vieni,Pammy. "

" Addio,tesoro! "

Con uno sguardo riluttante all'indietro,il bambino ben disciplinato si attenn della sua infermiera e fu trascinato fuori dalla porta,proprio mentre Tom tornava, precedendo quattro gin rickey che tintinnavano pieni di ghiaccio.

Gatsby prese il suo drink.

" Sono sicuramente fantastici " ,ha detto,con visibile tensione.

Abbiamo bevuto a lunghi,golosi sorsi.

" Ho letto da qualche parte che il sole diventa ogni anno più caldo " ,disse Tom genialmente. " Sembra che molto presto la terra crollerà Il sole – o aspetta un attimo – è proprio il contrario – il sole sta sorgenc ogni anno più freddo.

» Vieni fuori » ,suggerì a Gatsby,» vorrei che dessi un'occhiata nel posto. "

Uscii con loro sulla veranda, Sul suono verde,stagnante dentro sotto il caldo,una piccola vela strisciava lentamente verso il mare più fresco. di Gatsby lo seguirono per un momento; alzò la mano e indicò ttraverso la baia.

Sono proprio di fronte a te. "

Così tu sei. "

nostri occhi si sollevarono sulle aiuole di rose,sul prato caldo e sulle
rbacce
rifiuti della canicola lungo la costa. Lentamente le ali bianche della barca
i muoveva contro il limite azzurro e fresco del cielo. Davanti c'era la
merlata
ceano e le numerose isole benedette.

C'è dello sport per te " ,disse Tom,annuendo. " Mi piacerebbe essere
a fuori
on lui per circa un'ora. "

acemmo colazione nella sala da pranzo,anch'essa oscurata per il caldo,e
evvi l'allegria nervosa con la birra fresca.

Che cosa faremo questo pomeriggio? " esclamò Daisy," e il
giorno dopo e i successivi trent'anni? "

Non essere morboso " ,ha detto Jordan. " La vita ricomincia da capo
uando
venta frizzante in autunno. "

Ma fa così caldo " ,insistette Daisy,sull'orlo delle lacrime," e
e tutto così confuso. Andiamo tutti in città! "

a sua voce lottava contro il caldo,sbattendo contro di esso,modellandosi
a sua insensatezza in forme.

Ho sentito parlare di come ricavare una stalla da un garage » ,stava
icendo, Tom
Gatsby," ma sono il primo uomo che abbia mai creato una stalla da a
ox auto. "

Chi vuole andare in città? chiese Daisy con insistenza. Gli occhi di Gatsby
uttuava verso di lei. " Ah " ,esclamò," sembri così figo. "

loro occhi si incontrarono e si fissarono insieme,soli
pazio. Con uno sforzo abbassò lo sguardo sul tavolo.

Sei sempre così bella " ,ripeté.

li aveva detto che lo amava e Tom Buchanan lo aveva visto. È stato
tupito. La sua bocca si aprì un po',e guardò Gatsby,e
oi di nuovo verso Daisy,come se l'avesse appena riconosciuta come
ualcuno che conosceva
anto tempo fa.

Assomigli alla pubblicità di quell'uomo » ,continuò innocentemente.
Conosci l'annuncio di quell'uomo ...»

Va bene » ,intervenne Tom in fretta,» sono assolutamente disposto ad
ndarci
ittà. Andiamo ,stiamo andando tutti in città. "

i alzò,i suoi occhi continuavano a lampeggiare tra Gatsby e sua moglie.
lessuno
osso.

Dai! Il suo temperamento si incrinò un po'. » Che succede ,comunque?
e dobbiamo andare in città,cominciamo . "

a sua mano,tremante per lo sforzo di autocontrollo,si portò alle labbra
ltimo bicchiere di birra. La voce di Daisy ci fece alzare in piedi e uscire
ul vialetto di ghiaia infuocato.

" Andremo e basta? " obiettò. " Come questo? Non stiamo andando? permettere a qualcuno di fumare prima una sigaretta? "

" Tutti fumavano per tutto il pranzo. "

" Oh,divertiamoci " ,lo implorò. " Fa troppo caldo per agitarsi. "

Non ha risposto .

" Fallo a modo tuo " ,ha detto. " Andiamo,Jordan. "

Sono saliti di sopra a prepararsi mentre noi tre uomini eravamo lì mescolando con i piedi i ciottoli caldi. Una curva argentata della luna aleggiava già nel cielo occidentale. Gatsby iniziò a parlare,cambiato nella sua mente,ma non prima che Tom si voltasse e lo affrontasse in attesa.

" Hai qui le tue scuderie? chiese Gatsby con uno sforzo.

" Circa un quarto di miglio lungo la strada. "

" OH. "

Una pausa.

» Non vedo l'idea di andare in città » ,esplose Tom in tono selvaggio.
" Le donne si mettono queste idee in testa ..."

" Portiamo qualcosa da bere? - chiamò Daisy da una finestra del piano superiore.

" Prenderò del whisky " ,rispose Tom. Entrò.

Gatsby si rivolse a me rigidamente:

Non » posso dire niente a casa sua,vecchio mio. "

" Ha una voce indiscreta " ,ho osservato. » È pieno di ...» I esitò.

" La sua voce è piena di soldi " ,disse all'improvviso.

Questo è tutto. Non l' avevo mai capito prima. Era pieno di soldi ... quello era il fascino inesauribile che saliva e scendeva in esso,il tintinnio di esso,il suo canto di cembali ... In alto,in un palazzo bianco,quello del re figlia,la ragazza d'oro ...

Tom uscì di casa avvolgendo una bottiglia da un litro in un asciugamano e lo seguì
da Daisy e Jordan che indossano piccoli cappelli attillati di stoffa metallica e portando leggeri mantelli sulle braccia.

" Andiamo tutti con la mia macchina? " suggerì Gatsby. Ne sentiva il caldo, il verde
pelle del sedile. » Avrei dovuto lasciarlo all'ombra. "

" È un turno standard? " chiese Tom.

" Sì. "

" Bene,fai il mio colpo e lasciami portare la tua macchina in città. "

Il suggerimento fu sgradevole per Gatsby.

" Non credo che ci sia molto gas " ,obiettò.

Il grande Gatsby

Un sacco di benzina " ,disse Tom in tono chiassoso. Guardò l'indicatore. "

ε finisce posso fermarmi in farmacia. Puoi comprare qualsiasi cosa su a
rmacia al giorno d'oggi.

na pausa seguì questa osservazione apparentemente inutile. Daisy
uardò Tom
ccigliato e un'espressione indefinibile,allo stesso tempo decisamente
conosciuta
vagamente riconoscibile,come se l'avessi solo sentito descritto in
arole,passate sul volto di Gatsby .

Andiamo,Daisy " disse Tom,spingendola con la mano verso quella di
atsby
uto. Ti " porterò in questo carro da circo. "

prì la porta,ma lei si allontanò dal cerchio del suo braccio.

Prendi Nick e Jordan. Ti seguiremo nel colpo di stato . "

avvicinò a Gatsby,toccandogli il cappotto con la mano. Giordania
Tom e io ci sedemmo sul sedile anteriore dell'auto di Gatsby ,Tom
pinse il
granaggi sconosciuti provvisoriamente,e siamo partiti nell'opprimente
alore,lasciandoli fuori dalla vista.

Hai visto che? " chiese Tom.

Vedi cosa? "

li guardò attentamente,rendendosi conto che Jordan e io dovevamo
aperlo
sempre.

Pensi che io sia piuttosto stupido,vero ? " Lui suggerì. " Forse lo sono,
a ho una ... quasi una seconda vista,a volte,che mi dice cosa fare
are. Forse non ci credi ,ma la scienza ...»

ece una pausa. L'immediata contingenza lo colse,lo tirò indietro
all'orlo dell'abisso teorico.

Ho fatto una piccola indagine su questo tizio " ,ha continuato. " IO
rei potuto andare più a fondo se avessi saputo ... "

Vuoi dire che sei stato da una medium? ",chiese Jordan
cherzosamente.

Che cosa? " Confuso,ci guardò mentre ridevamo. " Un medium? "

A proposito di Gatsby. "

A proposito di Gatsby! No,non l'ho fatto . Ho detto che ne avrei fatto un
ccolo
dagine sul suo passato. "

E hai scoperto che era un uomo di Oxford " ,disse Jordan in tono utile.

Un uomo di Oxford! Era incredulo. " Che diavolo lo è! Indossa un rosa
bito. "

Comunque è un uomo di Oxford. "

Oxford,New Mexico » ,sbuffò Tom con disprezzo,» o qualcosa del genere
uello. "

Ascolta,Tom. Se sei così snob,perché lo hai invitato a pranzo? "
iese Jordan stizzito.

" Daisy lo ha invitato; lo conosceva prima che ci sposassimo ... Dio lo sa
Dove! "

Adesso eravamo tutti irritabili per la birra che svaniva,e ne eravamo consapevoli
guidò per un po' in silenzio. Poi quando il dottor TJ Eckleburg è svanito
i miei occhi vidi in fondo alla strada,ricordai l'avvertimento di Gatsby
riguardo alla benzina.

Ne " abbiamo abbastanza per arrivare in città ",disse Tom.

" Ma c'è un garage proprio qui ",obiettò Jordan. " Non voglio _
rimanere bloccato in questo caldo torrido. "

Tom tirò con impazienza entrambi i freni e scivolammo fino a diventare polverosi.
fermatevi sotto il cartello .di Wilson Dopo un attimo emerse il titolare
l'interno del suo locale e guardò l'auto con gli occhi vuoti.

" Facciamo benzina ! - gridò aspramente Tom. " Cosa ne pensi?
fermato per ... per ammirare il panorama? "

" Sto male ," disse Wilson senza muoversi. " Sono stato male tutto il giorno. "

" Qual è il problema? "

» Sono tutto esaurito. "

" Bene,posso aiutarmi? chiese Tom . » Sembri abbastanza bravo
il telefono. "

Con uno sforzo Wilson lasciò l'ombra e il sostegno della porta e,
respirando affannosamente,svitai il tappo del serbatoio. Alla luce del sole il suo
la faccia era verde.

" Non volevo interrompere il tuo pranzo ",disse. " Ma ho bisogno di soldi
piuttosto male,e mi chiedevo cosa avresti fatto con il tuo
vecchia macchina. "

" Ti piace questo? ",chiese Tom. " L'ho comprato la settimana scorsa. "

" E ' un bel giallo," disse Wilson,mentre tendeva la maniglia.

" Vuoi comprarlo? "

" Grande occasione ." ,Wilson sorrise debolmente. " No,ma potrei
guadagnare dei soldi
dall'altra.

" Per cosa vuoi soldi,all'improvviso? "

» Sono qui da troppo tempo. Voglio andarmene. Io e mia moglie vogliamo andare
Ovest. "

" Tua moglie lo fa " ,esclamò Tom,sorpreso.

» Sono dieci anni che ne parla. " Si riposò un attimo
contro la pompa,riparandosi gli occhi. » E adesso se ne va
vuole o no. La porterò via. "

Il colpo é balenato davanti a noi con un turbinio di polvere e il lampo di un
agitando la mano.

" Cosa ti devo? chiese Tom aspramente.

Il grande Gatsby

' Negli ultimi due giorni mi sono accorto di qualcosa di divertente " ,ha osservato
Wilson. » Ecco perché voglio andarmene. Ecco perché mi sono preoccupato
su riguardo alla macchina. "

" Cosa ti devo? "

' Venti dollari. "

caldo incessante cominciava a confondermi e avevo un
brutto momento,li prima che mi rendessi conto che finora i suoi sospetti
non si erano verificati
si posò su Tom. Aveva scoperto che Myrtle aveva una sorta di vita
separato da lui in un altro mondo,e lo shock lo aveva colpito fisicamente
malato. Fissai lui e poi Tom,che aveva fatto un parallelo
scoperta meno di un'ora prima - e mi è venuto in mente che li
non c'era differenza tra gli uomini,nell'intelligenza o nella razza,così profonda
come
la differenza tra chi è malato e chi sta bene. Wilson era così malato che
aveva un'aria colpevole,imperdonabilmente colpevole ,come se avesse
appena avuto un po' di povertà
ragazza con bambino.

Ti " lascerò avere quella macchina " ,disse Tom. » Te lo manderò domani
pomeriggio."

Quella località era sempre vagamente inquietante,anche nella luce diffusa
del pomeriggio,e ora giravo la testa come se fossi stato avvisato
qualcosa dietro. Sopra i cumuli di cenere gli occhi giganti del dottor TJ
Eckleburg vegliava,ma dopo un momento,me ne resi conto
altri occhi ci guardavano con particolare intensità da meno di
venti piedi di distanza.

n una delle finestre sopra il garage le tende erano state spostate
un po' di lato,e Myrtle Wilson guardò l'auto. Così
era assorta al punto da non avere la consapevolezza di essere osservata,e
un'emozione dopo l'altra si insinuò nel suo viso come gli oggetti in un
immagine in lento sviluppo. La sua espressione era curiosamente
familiare ...
era un'espressione che avevo visto spesso sui volti delle donne ,tranne
che su Myrtle
di Wilson sembrava privo di scopo e inspiegabile finché non me ne resi
conto
che i suoi occhi,spalancati dal terrore geloso,erano fissi non su Tom,ma su
Jordan Baker,che lei prese come sua moglie.

--- ---------------------

Non c'è confusione come la confusione di una mente semplice,e come noi
si allontanò. Tom sentiva le fruste calde del panico. Sua moglie e i suoi
la padrona,fino a un'ora fa sicura e inviolata,scivolavano
precipitosamente dal suo controllo. L'istinto lo fece salire sul
acceleratore con il duplice scopo di sorpassare Daisy e partire
Wilson dietro,e corremmo verso Astoria a cinquanta miglia all'anno
un'ora,finché,tra le travi ragnatele dell'elevata,entrammo
alla vista dell'accomodante colpo di stato azzurro e .

" Quei grandi film intorno alla Cinquantesima Strada sono fantastici " ,ha
suggerito
Giordania. " Adoro New York nei pomeriggi estivi,quando tutti sono via.
C'è qualcosa di molto sensuale in questo : troppo maturo ,come se fosse
di ogni genere
frutti divertenti sarebbero caduti nelle tue mani. "

La parola " sensuale " ebbe l'effetto di inquietare ulteriormente Tom,ma
prima che potesse inventare una protesta il colpo di stato si fermò,e Daisy
ci fece segno di schierarci a fianco.

Il grande Gatsby

" Dove stiamo andando? " lei pianse.

" Che ne dici dei film? "

" Fa così caldo " ,si lamentò. " Tu vai. Andremo in giro e ti incontreremo
Dopo. Con uno sforzo il suo ingegno si riacquistò debolmente . " Ci
incontreremo ad alcuni
angolo. Sarò l'uomo che fuma due sigarette. "

Non " possiamo discuterne qui " ,disse Tom con impazienza,mentre un
camion cedeva
un fischio d'imprecazione alle nostre spalle. " Seguimi fino al lato sud di
Central Park,di fronte alla Plaza. "

Diverse volte girò la testa e guardò indietro in cerca della loro macchina,e
se
il traffico li rallentava,lui rallentò finché non li videro. IO
credo che avesse paura che sfrecciassero giù per una strada laterale e
uscissero dalla sua
vita per sempre.

Ma non lo fecero . E tutti noi abbiamo fatto il passo meno spiegabile di
impegnarci
il salotto di una suite del Plaza Hotel.

La discussione prolungata e tumultuosa che ha finito per trascinarci
dentro
quella stanza mi sfugge,anche se ho un ricordo fisico nitido che,dentro
nel corso di ciò,la mia biancheria intima continuava ad arrampicarsi come
un serpente umido intorno
le mie gambe e gocce intermittenti di sudore mi scorrevano fredde lungo
la schiena.
L'idea è nata dal suggerimento di Daisy di assumerne cinque
bagni e fare bagni freddi,per poi assumere una forma più tangibile come
" Un posto dove bere un Mint Julep. Ognuno di noi lo ha ripetuto più e più
volte
è stata una " idea folle " — abbiamo parlato tutti insieme con un impiegato
sconcertato e
pensavamo,o facevamo finta di pensare,che ci stessimo comportando in
modo molto divertente ...

La stanza era grande e soffocante,nonostante fossero già le quattro
in punto ,aprendo le finestre lasciava entrare solo una folata di arbusti
caldi
dal Parco. Daisy si avvicinò allo specchio e ci diede le spalle,
sistemandole i capelli.

" E ' una suite fantastica " ,sussurrò rispettosamente Jordan e tutti
quanti
riso.

» Apri un'altra finestra » ,ordinò Daisy,senza voltarsi.

Non " ce ne sono più. "

» Bene,sarà meglio telefonare per avere un'ascia ...»

" La cosa da fare è dimenticare il caldo " ,disse Tom con impazienza.
» Lamentandoti,rendi le cose dieci volte peggiori. "

Srotolò la bottiglia di whisky dall'asciugamano e la mise sul
tavolo.

» Perché non lasciarla in pace,vecchio mio? " osservò Gatsby. " Tu sei
quella
che voleva venire in città. "

Ci fu un momento di silenzio. L'elenco telefonico scivolò

niodo e schizzò a terra,dopo di che Jordan sussurrò: " Scusate
le " - ma questa volta nessuno rise.

Lo prenderò io",mi sono offerto.

Ho capito . " Gatsby esaminò la corda divisa e mormorò: " Hum! " In
modo interessato,e gettò il libro su una sedia.

E ' una bellissima espressione la tua,non è vero ? disse Tom
ruscamente.

Cosa è? "

Tutta questa faccenda del ' vecchio sport ' . Dove 'l hai preso? "

Ora guarda un po',Tom » ,disse Daisy,voltandosi dallo specchio,» se
rai delle osservazioni personali. Non starò qui un minuto.
hiama e ordina del ghiaccio per il Mint Julep. "

uando Tom prese in mano il ricevitore,il calore compresso esplose in
uono
ascoltavamo gli accordi portentosi di Mendelssohn
larcia nuziale dalla sala da ballo sottostante.

Immagina di sposare qualcuno con questo caldo! - esclamò Jordan
istemente.

Tuttavia ... mi sono sposata a metà giugno » ,ricordò Daisy.
Louisville in giugno! Qualcuno è svenuto. Chi è stato svenuto,Tom? "

Biloxi " ,rispose brevemente.

Un uomo di nome Biloxi. ' Blocks ' Biloxi,e ha fatto scatole - quello ' sa
fatti - ed era di Biloxi,Tennessee. "

Lo hanno portato a casa mia ",ha aggiunto Jordan," perché vivevamo
sole due porte dalla chiesa. E rimase tre settimane,fino a papà
disse che doveva uscire. Il giorno dopo la sua partenza,papà è morto. "
opo
attimo aggiunse. Non " c'era alcun collegamento. "

Conoscevo un certo Bill Biloxi di Memphis " ,ho osservato.

Quello era suo cugino. Conoscevo tutta la storia della sua famiglia prima
lui
nistra. Mi ha regalato un putter in alluminio che uso oggi. "

musica si era calmata all'inizio della cerimonia e ora c'era un lungo
plauso
tro fluttuando dalla finestra,seguito da grida intermittenti di
Sì ... eia ... eia! e infine da un'esplosione di jazz all'inizio delle danze.

Stiamo invecchiando " ,disse Daisy. " Se fossimo giovani ci
alzeremmo e
nza. "

icordati di Biloxi " " ,la avvertì Jordan. » Dove 'l hai conosciuto,Tom? "

Biloxi? Si concentrò con uno sforzo. " Non lo conoscevo . Lui era un
nico di Daisy . "

Non lo era " ,ha negato. » Non 'l avevo mai visto prima. È venuto giù
uto privata. "

Beh,ha detto che ti conosceva. Ha detto che è cresciuto a Louisville.
ome un
rd lo portò da noi all'ultimo minuto e ci chiese se avevamo posto
r lui.

Giordano sorrise.

» Probabilmente stava tornando a casa barcollando. Mi ha detto che era presidente di
la tua lezione a Yale. "

Tom e io ci guardammo senza espressione.

" Biloxi? "

" In primo luogo,non avevamo nessun presidente ..."

di Gatsby batteva un breve,irrequieto ritmo e Tom lo guardò all'improvviso

» A proposito,signor Gatsby,mi risulta che lei sia un uomo di Oxford. "

" Non esattamente. "

" Oh,sì,mi risulta che sei andato a Oxford. "

" Sì ,ci sono andato. "

Una pausa. Poi la voce di Tom ,incredula e offensiva:

» Devi essere andato lì più o meno nello stesso periodo in cui Biloxi andava
a New Haven. "

Un'altra pausa. Un cameriere bussò ed ,entrò con menta tritata e ghiaccio
ma il silenzio non è stato rotto dal suo " grazie " e dalla chiusura dolce
della porta. Questo tremendo dettaglio doveva essere finalmente chiarito.

" Te l'avevo detto che ci sono andato " ,disse Gatsby.

" Ti ho sentito,ma vorrei sapere quando. "

" Era il millenovecentodiciannove,sono rimasto solo cinque mesi. Questo è
perché io
Non posso davvero definirmi un uomo di Oxford. "

Tom si guardò intorno per vedere se rispecchiavamo la sua incredulità. Ma
lo eravamo tutti
guardando Gatsby.

" È stata un'opportunità che hanno dato ad alcuni ufficiali dopo il
armistizio " ,ha continuato. " Potremmo andare in qualsiasi università del
mondo
Inghilterra o Francia. "

Avrei voluto alzarmi e dargli una pacca sulla spalla. Ne avevo uno
rinnovamenti della completa fiducia in lui che avevo sperimentato prima.

Daisy si alzò,sorridendo debolmente,e andò al tavolo.

» Apri il whisky,Tom » ,ordinò.» e ti preparerò un Mint Julep.
Allora non ti sembrerai così stupido ... Guarda la menta! "

" Aspetta un attimo," sbottò Tom," voglio chiederne un'altra al signor
Gatsby.
domanda. "

» Vai » disse educatamente Gatsby.

» Che razza di litigio stai cercando di provocare in casa mia,comunque? "

Finalmente erano all'aperto e Gatsby era soddisfatto.

Non " sta provocando una lite," Daisy guardò disperatamente da uno
l'altro
ltro. » Stai causando un litigio. Per favore,abbi un po' di autocontrollo. "

Autocontrollo! " ripeté Tom incredulo. " Suppongo l'ultima
mportante è sedersi e lasciare che il signor Nessuno del nulla faccia
amore con te
noglie. Beh,se questa è l'idea potete escludermi ... Al giorno d'oggi,gente
niziare deridendo la vita familiare e le istituzioni familiari,e poi
etteranno tutto in mare e faranno matrimoni misti
ianco e nero. "

Arroventato dal suo appassionato farfugliare,si vide in piedi da solo
sull'ultima barriera della civiltà.

Siamo tutti bianchi qui » ,mormorò Jordan.

Lo so,non sono molto popolare. Non do grandi feste. Credo
evi trasformare la tua casa in un porcile per averne qualcuno
mici – nel mondo moderno. "

Arrabbiato com'ero,come lo eravamo tutti,avevo la tentazione di ridere ogni
olta che lui
pri la bocca. Il passaggio da libertino a moralista è stato così
ompletare.

Ho qualcosa da dirti,vecchio mio ...» cominciò Gatsby. Ma Margherita
ntuito la sua intenzione.

Per favore,non farlo ! " lo interruppe impotente. " Per favore , andiamo
utti
asa. Perché non andiamo tutti a casa? "

E ' una buona idea " ,mi alzai. " Andiamo,Tom. Nessuno vuole bere
ualcosa. "

Voglio sapere cosa ha da dirmi il signor Gatsby. "

Tua moglie non ti ama " ,disse Gatsby. Non » ti ha mai amato.
ei mi ama. "

Devi essere pazzo! " esclamò automaticamente Tom.

Gatsby balzò in piedi,vivido di eccitazione.

Non ti ha mai amato,hai capito? " lui pianse. " Lei ha solo sposato te
erché ero povero e lei era stanca di aspettarmi. Era un
erribile errore,ma nel suo cuore non ha mai amato nessuno tranne me! "

A questo punto Jordan e io abbiamo provato ad andare,ma Tom e Gatsby
anno insistito
on la fermezza competitiva che rimaniamo ,come se nessuno dei due
avesse fatto
ulla da nascondere e sarebbe un privilegio parteciparvi indirettamente
elle loro emozioni.

Siediti,Daisy » ,cercò inutilmente la voce paterna con la voce di Tom
lota. " Cosa sta succedendo? " Voglio sapere tutto. "

Ti ho detto cosa sta succedendo " ,disse Gatsby. " Vado avanti per
inque
nni - e non lo sapevi. "

om si rivolse bruscamente a Daisy.

Vedi uomo'quest da cinque anni? "

Il grande Gatsby

" Non vedo " ,disse Gatsby. " No,non potevamo incontrarci . Ma entrambi amavamo
l'un l'altro per tutto quel tempo,vecchio mio,e non lo sapevi . in passato
a volte rido "-,ma non c'era risata nei suoi occhi -" a pensarlo
non lo sapevi . "

» Oh ... questo è tutto. Tom picchiettò insieme le sue grosse dita come un
sacerdote e si appoggiò allo schienale della sedia.

" Sei pazzo ! " esplose. Non " posso parlare di quello che è successo
cinque
anni fa,perché allora non conoscevo Daisy ... e che io sia dannato se lo
conoscessi
vedi come sei riuscito ad arrivare a meno di un miglio da lei se non hai
portato la spesa
alla porta sul retro. Ma tutto il resto è una maledetta bugia. Margherita
mi amava quando mi sposò e mi ama adesso. "

» No » disse Gatsby,scuotendo la testa.

» Lo fa,però. Il problema è che a volte diventa sciocca
idee nella sua testa e non sa cosa sta facendo, " Annuì
saggiamente. " E in più ,anch'io amo Daisy. Ogni tanto esco
faccio baldoria e mi rendo ridicolo,ma torno sempre e entro
il mio cuore,la amo sempre. "

" Sei disgustoso " ,disse Daisy. Si rivolse a me,e alla sua voce,
abbassandosi di un'ottava,riempì la stanza di emozionante disprezzo: " Fallo
sai perché abbiamo lasciato Chicago? Sono sorpreso che non ti abbiano
trattato.
alla storia di quella piccola baldoria. "

Gatsby si avvicinò e le si fermò accanto.

» Daisy,adesso è tutto finito » ,disse con sincerità. " Non importa
più. Digli semplicemente la verità — che non l'hai mai amato — e basta
tutto spazzato via per sempre. "

Lo guardò ciecamente. » Perché ... come potrei amarlo ... forse? "

" Non l'hai mai amato. "

Esitò. I suoi occhi caddero su Jordan e me con una sorta di appello,
come se finalmente si rendesse conto di quello che stava facendo - e
come se lo fosse
non aveva mai avuto intenzione di fare nulla. Ma è stato fatto
Ora. Era troppo tardi.

" Non l'ho mai amato " ,disse,con percettibile riluttanza.

" Non a Kapiolani? chiese Tom all'improvviso.

" NO. "

Dalla sala da ballo sottostante giungevano accordi ovattati e soffocanti
fluttuando sulle onde calde dell'aria.

" Non quel giorno che ti portai giù dal Punch Bowl per tenerti il tuo
scarpe asciutte? " C'era una tenerezza roca nel suo tono ... " Daisy? "

" Per favore,non farlo . La sua voce era fredda,ma il rancore era sparito.
Guardò Gatsby. " Ecco,Jay " ,disse ,ma la sua mano mentre provava
accendersi una sigaretta tremava. All'improvviso gettò la sigaretta
e il fiammifero acceso sul tappeto.

" Oh,vuoi troppo! " gridò a Gatsby. » Ti amo adesso,,non è vero
è abbastanza? Non posso fare a meno di ciò che è passato. " Iniziò a
singhiozzare

potente. " Una volta lo amavo ,ma amavo anche te. "

occhi di Gatsby si aprirono e si chiusero.

Anche tu mi amavi? " ripeté.

Anche questa è una bugia » disse Tom in tono selvaggio. » Lei non
apeva che lo fossi
o. Perché ... ci sono cose tra me e Daisy che non saprai mai,
se che nessuno di noi potrà mai dimenticare. "

parole sembravano mordere fisicamente Gatsby.

Voglio parlare da solo con Daisy » ,insistette. " È tutta eccitata
a -

Anche da sola non posso dire di non aver mai amato Tom " ,ammise in
no pietoso
ce. " Non sarebbe vero . "

Naturalmente no « concordò Tom .

rivolse a suo marito.

Come se ti importasse " ,disse.

Certo che è importante. D'ora in poi mi prenderò più cura di te
J. "

Tu non capisci » disse Gatsby,con una punta di panico. " Tu sei _
n mi prenderò più cura di lei. "

Non sono ? Tom spalancò gli occhi e rise. Poteva permetterselo
ntrollarsi adesso. » Perché ? _ "

Daisy ti lascia. "

Senza senso. "

Lo sono,però " ,disse con uno sforzo visibile.

on mi " lascerà ! Le parole di Tom improvvisamente si chinarono su
atsby.
Non certo per un comune truffatore che dovrebbe rubare l'anello lui
etterle il dito. "

Non lo sopporterò! - esclamò Daisy. " Oh,per favore , usciamo. "

Chi sei,comunque? " ,esplose Tom. " Sei uno di quel gruppo che
equenta Meyer Wolfsheim ,questo mi risulta. Io ho
fatto una piccola indagine sui tuoi affari ... e la porterò avanti
eriormente domani. "

Per questo puoi accontentarti,vecchio mio » ,disse Gatsby con fermezza.

Ho scoperto quali erano le vostre ' drogherie ' . " Si rivolse a noi e parlò
oidamente. » Lui e questo Wolfsheim hanno comprato un bel po' di
rade secondarie
rmacie qui e a Chicago e vendevano alcol di cereali nel corso degli anni
ntatore. Questa è una delle sue piccole acrobazie. L'ho scelto per a
ntrabbandiere la prima volta che l'ho visto,e non mi sbagliavo di molto. "

Che ne dici? disse Gatsby educatamente. " Immagino il tuo amico Walter
nase non era troppo orgoglioso per intervenire. "

E tu l'hai lasciato nei guai,vero ? Lo hai lasciato andare in prigione per...
mese nel New Jersey. Dio! Dovresti sentire Walter al...
ggetto di te. "

Il grande Gatsby

" È venuto da noi completamente al verde. Era molto contento di aver raccolto dei soldi,vecchio
sport."

" Non chiamarmi ' vecchio ' mio ! - esclamò Tom. disse Gatsby Niente. ". Walter potrebbe informarti anche sulle leggi sulle scommesse,m Wolfsheim lo ha spaventato costringendolo a chiudere la bocca. "

Quello sguardo sconosciuto ma riconoscibile era tornato di nuovo sul volto di Gatsby .

" Quell'affare del drugstore era solo un piccolo spicciolo ",continuò Tom lentamente,
» Ma adesso hai qualcosa che Walter ha paura di dirmi Di."

Lanciai un'occhiata a Daisy,che fissava terrorizzata Gatsby e lei marito,e Jordan,che aveva iniziato a bilanciare un invisibile ma oggetto assorbente sulla punta del mento. Poi sono tornato a Gatsby - e rimase sorpreso dalla sua espressione. Guardò - e questo è detto
in tutto disprezzo per le calunnie chiacchierone del suo giardino - come se l,avesse fatto
Ha ucciso un uomo. " Per un momento l'aspetto del suo viso potrebbe essere descritto in
proprio in quel modo fantastico.

La cosa passò e cominciò a parlare concitatamente con Daisy,negando tutto,difendendo il suo nome da accuse che non c'erano state fatto. Ma con ogni parola lei si spingeva sempre più dentro se stessa,quindi rinunciò,e solo il sogno morto continuò a combattere come
Il pomeriggio scivolava via,cercando di toccare ciò che non era più tangibile lottando infelicemente,senza disperazione,verso quella voce perduta dall'altra parte
la stanza.

La voce pregò di nuovo di andare.

" Per favore,Tom! Non ne posso più. "

I suoi occhi spaventati dicevano che qualunque intenzione,qualunque coraggio
aveva avuto,se n'erano andati definitivamente.

» Voi due cominciate da casa,Daisy » ,disse Tom. » Nella macchina del .signor Gatsby "

Guardò Tom,allarmata adesso,ma lui insistette con magnanimità disprezzo.

" Vai avanti. Non ti disturberà. Penso che si renda conto di essere presuntuoso
Il piccolo flirt è finito. "

Se n'erano andati,senza una parola,interrotti,resi accidentali, isolati,come fantasmi,anche dalla nostra pietà.

Dopo un momento Tom si alzò e cominciò ad avvolgere la bottiglia ancora chiusa di
whisky nell'asciugamano.

" Vuoi un po' di questa roba? Giordania? ... Nick? "

Non ho risposto .

" Nick? " Ha chiesto di nuovo.

Che cosa? "

Ne vuoi qualcuno? "

No ... mi sono appena ricordato che oggi è il mio compleanno. "

Avevo trent'anni. Davanti a me si stendeva la strada portentosa e minacciosa di a
nuovo decennio.

Erano le sette quando salimmo con lui sul coupé e partimmo
per Long Island. Tom parlava incessantemente,esultando e ridendo,ma
la sua voce era lontana da Jordan e da me quanto il clamore straniero
marciapiede o il tumulto della sopraelevata,Simpatia umana
a i suoi limiti,e ci siamo accontentati di lasciare che tutti i loro tragici
argomenti
svanire con le luci della città alle spalle. Trenta : la promessa di un decennio

solitudine,un elenco sempre più scarso di uomini single da conoscere,un
radamento
aligetta di entusiasmo,capelli radi. Ma accanto c'era Jordan
che,a differenza di Daisy,ero troppo saggio per poter essere dimenticato
ogni di età in età. Mentre passavamo sul ponte buio,il suo viso pallido
adde pigramente contro la spalla del mio cappotto e il formidabile colpo

Trenta morirono con la pressione rassicurante della sua mano.

Così procedemmo verso la morte attraverso il fresco crepuscolo.

-- ---------------------

giovane greco,Michaelis,che gestiva il bar accanto al
sh-heaps fu il principale testimone dell'inchiesta. Aveva dormito
ttraverso il caldo fino alle cinque passate,quando si avvicinò al
arage,e ho trovato George Wilson malato nel suo ufficio : davvero malato,
allido
ome i suoi capelli pallidi e tremanti dappertutto. Michaelis gli consigliò di
ndare
letto,ma Wilson rifiutò,dicendo che se lo avesse fatto avrebbe perso un
acco di affari
gli fece. Mentre il suo vicino cercava di persuaderlo in modo violento
alto scoppio il racket.

Ho rinchiuso mia moglie lassù " ,spiegò Wilson con calma.
Rimarrà lì fino a dopodomani,poi saremo di nuovo qui
ndrò ad allontanarmi. "

Michaelis era stupito; erano vicini di casa da quattro anni e
Wilson non era mai sembrato minimamente capace di una simile
ffermazione.
genere era uno di questi uomini sfiniti: quando non lavorava ,lui
sedette su una sedia sulla soglia e guardo la gente, e le macchine
he passava lungo la strada. Quando qualcuno gli parlava,invariabilmente
se in modo gradevole e incolore. Era l'uomo di sua moglie e non
suo stesso.

uindi,naturalmente,Michaelis ha cercato di scoprire cosa fosse successo,
la Wilson
on diceva una parola ,invece cominciava a essere curioso e sospettoso
ncia un'occhiata al suo visitatore e gli chiede cosa stesse facendo in
uel momento
olte in ,determinati giorni. Proprio mentre quest'ultimo cominciava a
entirsi a disagio,alcuni
egli operai passarono davanti alla porta diretti al suo ristorante e a
lichaelis
olto l'occasione per scappare,con l'intenzione di tornare più tardi. Ma lui
o . _ Probabilmente se ne era dimenticato,tutto qui. Quando è uscito
nuovo,poco dopo le sette,gli venne in mente la conversazione

perché aveva sentito la voce della signora Wilson ,forte e di rimprovero, al piano di sotto
il garage.

" Battimi! " la sentì piangere. " Buttami giù e picchiami,sporco piccolo codardo! "

Un attimo dopo corse fuori nel crepuscolo,agitando le mani e gridando : prima che potesse allontanarsi dalla porta,la faccenda era finita.

La " macchina della morte ",come la chiamavano i giornali,non si fermava; È uscito
dell'oscurità che si addensava,vacillò tragicamente per un momento,e poi scomparve dietro la curva successiva. Mavro Michaelis non ne era nemmeno sicuro
il suo colore ; ha detto al primo poliziotto che era verde chiaro. IL l'altra macchina,quella diretta a New York,si fermò a un centinaio di metri oltre,e il suo autista si affrettò a tornare dove Myrtle Wilson,la sua vita si spense violentemente,si inginocchiò sulla strada e mescolò la sua fitta oscurità
sangue con la polvere.

Michaelis e quest'uomo l'hanno raggiunta per primi,ma quando si sono aperti
la sua camicia,ancora umida di sudore,videro che se n'era andata il seno si apriva come un lembo e non c'era bisogno di ascoltare per il cuore sottostante. La bocca era spalancata e leggermente squarciata
gli angoli,come se avesse soffocato un po' nel rinunciare al straordinaria vitalità che aveva immagazzinato per così tanto tempo.

-- ----------------------

Abbiamo visto le tre o quattro automobili e la folla quando eravamo fermi una certa distanza.

" Relitto! " disse Tom. " Va bene . Wilson avrà un piccolo affare da fare scorso. "

Ha rallentato,ma ancora senza alcuna intenzione di fermarsi,finché,come ci avvicinammo,i volti silenziosi e intenti delle persone al garage la porta gli ha fatto mettere automaticamente i freni.

» Daremo occhiata'un » ,disse dubbioso,» solo un'occhiata. "

Adesso mi rendevo conto di un suono sordo e lamentoso che veniva emesso incessantemente
dal garage,un suono che mentre uscivamo dal coupé e camminavamo verso la porta si risolse nelle parole " Oh,mio Dio! " pronunciato più e più volte con un gemito ansimante.

" Ci sono dei grossi guai qui " ,disse Tom emozionato.

Si alzò in punta di piedi e sbirciò al di sopra di un cerchio di teste garage,illuminato soltanto da una luce gialla fissata su una struttura metallica oscillante
cestino in alto. Poi emise un suono aspro in gola,e con a il violento movimento di spinta delle sue potenti braccia si fece strada Attraverso.

Il cerchio si richiuse con un continuo mormorio di protesta; Esso passò un minuto prima che potessi vedere qualcosa. Poi nuovi arrivi ha sconvolto la linea e Jordan e io siamo stati spinti all'improvviso dentro.

di Myrtle Wilson ,avvolto in una coperta e poi in un'altra si sdraiò sulla coperta,come se soffrisse di freddo nella notte calda un tavolo da lavoro vicino al muro e Tom,dandoci le spalle,si stava chinando sopra,immobile. Accanto a lui c'era un poliziotto in moto che prendeva annotare i nomi con molto sudore e correzioni in un piccolo libro. All'inizio ic

on riusciva a trovare la fonte delle parole acute e lamentose che
cheggiavano
amorosamente attraverso il garage nudo - poi ho visto Wilson in piedi sul
oglia rialzata del suo ufficio,dondolandosi avanti e indietro, e tenendosi
i stipiti con entrambe le mani. Un uomo gli stava parlando a bassa voce
oce e tentando,di tanto in tanto,di posare una mano sulla sua
palla,ma Wilson non sentì né vide. I suoi occhi si abbassavano lentamente
alla luce oscillante al tavolo imbandito accanto al muro,e poi sussulto
 nuovo alla luce,ed emetteva incessantemente il suo massimo,
hiamata orribile:

Oh,mio Dio! Oh,mio Dio! Oh,Ga-od! Oh,mio Dio! "

ubito Tom sollevò la testa con uno scatto e,dopo essersi guardato
torno
garage con gli occhi vitrei,rivolse un'osservazione mormorata e
coerente
poliziotto.

Mav ...» diceva il poliziotto,«... o ...»

No,r ...» corresse l'uomo,» Mavro ...»

Ascoltami! - mormorò Tom fieramente.

R ...» disse il poliziotto,» o ...»

G -"

G ...» Alzò lo sguardo mentre l'ampia mano di Tom si posava
ruscamente sulla sua spalla.
Cosa vuoi,amico? "

Quello che è successo? - questo è quello che voglio sapere. "

L'ha colpita automaticamente. Ins ' antly ucciso. "

Ucciso all'istante » ,ripeté Tom fissandolo.

È corsa fuori in una strada. Quel figlio di puttana non ha nemmeno
ermato la macchina. "

C'erano due macchine " ,disse Michaelis," una veniva , l'altra andava ,
edi? "

Andare dove? " chiese acutamente il poliziotto.

Uno in ogni direzione. Beh,lei ..." la sua mano si sollevò verso le coperte
a
 fermò a metà strada e cadde al suo fianco —" lei corse fuori e quella
enendo da N ' York le andò incontro,percorrendo trenta o quaranta
iglia
n'ora. "

Come si chiama questo posto qui? ",chiese l'ufficiale.

Non ha nessun nome. "

n negro pallido e ben vestito si avvicinò.

Era una macchina gialla " ,ha detto," grande macchina gialla. Nuovo. "

Vedi l'incidente? ",chiese il poliziotto.

No,ma la macchina mi ha sorpassato lungo la strada,andando più forte
el quaranta. Andando
nquanta,sessanta. "

Il grande Gatsby

" Vieni qui e dici il tuo nome. Attento adesso. Voglio prendere il suo nome. "

Alcune parole di questa conversazione devono essere arrivate a Wilson, ondeggiando
la porta dell'ufficio,perché all'improvviso un nuovo tema trovò voce tra i suoi
afferrando grida:

" Non devi dirmi che tipo di macchina era! So di che tipo
di macchina era! "

Osservando Tom,vidi tendersi la massa muscolare dietro la sua spalla
sotto il suo cappotto. Si avvicinò rapidamente a Wilson e,restandogli dentro.
davanti a lui,lo afferrò saldamente per le braccia.

" Devi ricomporti " ,disse in tono rassicurante
burberità.

Gli occhi di Wilson caddero su Tom; ha iniziato in punta di piedi e poi
sarebbe crollato in ginocchio se Tom non lo avesse tenuto in piedi.

" Ascolta " ,disse Tom,scuotendolo leggermente. " Sono appena arrivato un attimo
fa,da New York. Ti stavo portando quel colpo di cui abbiamo parlato.
Di. Quella macchina gialla che guidavo questo pomeriggio non era mia ,ver?
ascoltare? 'Non l ho visto per tutto il pomeriggio. "

Solo io e il negro eravamo abbastanza vicini per sentire quello che diceva, ma il
Il poliziotto colse qualcosa nel tono e lo guardò con aria truculenta occhi.

» Cos'è tutto questo? " chiese.

» Sono un suo amico . Tom girò la testa ma mantenne le mani ferme
di Wilson . " Dice di conoscere l'auto che lo ha fatto ... Era una gialla auto. "

Un vago impulso spinse il poliziotto a guardare Tom con sospetto.

" E di che colore è la tua macchina? "

" E una macchina ' blu ,un coupé . "

" Veniamo direttamente da New York " ,dissi.

Qualcuno che stava guidando un po' dietro di noi lo ha confermato,e
il poliziotto si voltò.

" Ora,se mi permette di avere di nuovo quel nome corretto ..."

Prendendo in braccio Wilson come una bambola,Tom lo portò in ufficio, pronto
lo fece sedere su una sedia e tornò indietro.

» Se qualcuno viene qui e si siede con lui » ,sbottò
autorevolmente. Osservò mentre i due uomini più vicini si lanciavano un'occhiata
l'uno contro l'altro ed entrarono controvoglia nella stanza. Poi Tom chiuse
porta su di loro e scese l'unico gradino,evitando con lo sguardo il
tavolo. Passandomi vicino mi sussurrò " : Usciamo " .

Consapevolmente,con le sue braccia autorevoli che aprono la strada,noi
si fece largo tra la folla che ancora si radunava,superando un medico frettoloso,
caso in mano,che era stato chiamato con folle speranza mezz'ora prima.

Tom guidò lentamente finché non fummo oltre la curva ,poi abbassò il piede
duro,e il colpo di stato corse tutta la notte. Tra poco io
Udì un singhiozzo basso e roco e vide che le lacrime scorrevano giù
a sua faccia.

Che maledetto codardo! " piagnucolò. Non " ha nemmeno fermato la
macchina. "

-- ----------------------

La casa dei Buchanan fluttuava all'improvviso verso di noi nell'oscurità
alberi fruscianti, Tom si fermò accanto al portico e alzò lo sguardo
secondo piano,dove due finestre sbocciavano di luce tra le viti.

Daisy è a casa » disse. Quando scendemmo dall'auto mi guardò e
aggrottò leggermente la fronte.

Avrei dovuto accompagnarti a West Egg,Nick. Non c'è niente che
possiamo fare
fare stasera. "

Un cambiamento era avvenuto in lui,e parlava gravemente e con decisione.
Mentre attraversavamo la ghiaia illuminata dalla luna fino al portico,si
eliminò
la situazione in poche frasi vivaci.

Telefonerò per chiamarti un taxi che ti riporti a casa,e mentre aspetti
tu e Jordan fareste meglio ad andare in cucina a prendervene un po'
cena ,se ne vuoi. " Apri la porta. " Si accomodi. "

No grazie. Ma sarei felice se mi ordinassi il taxi. Aspetterò _ _
il di fuori. "

Jordan mi mise la mano sul braccio.

Non vuoi entrare ,Nick? "

No grazie. "

Mi sentivo un po' male e volevo stare da sola. Ma la Giordania
indugiò ancora un attimo.

Sono solo le nove e mezza " ,disse.

Che fossi dannato se entrassi ; Ne avevo abbastanza di tutti per un
giorno,
e all'improvviso questo includeva anche Jordan. Deve aver visto qualcosa
...
questo nella mia espressione,perché lei si voltò bruscamente e corse su
per il
portico entra in casa. Mi sono seduto per qualche minuto con la testa
fra le mani,finché non ho sentito il telefono preso all'interno e quello del
maggiordomo
voce che chiama un taxi. Poi ho camminato lentamente lungo il vialetto di
istanza
della casa,con l'intenzione di aspettare davanti al cancello.

Non avevo percorso nemmeno venti metri quando sentii il mio nome e
Gatsby fece un passo
via tra due cespugli nel sentiero. Devo essermi sentito piuttosto strano
in quel punto,perché non riuscivo a pensare ad altro che alla luminosità
del suo vestito rosa sotto la luna.

Cosa fai? ",ho chiesto.

Resto qui,vecchio mio. "

Il grande Gatsby

In qualche modo,sembrava un'occupazione spregevole. Per quanto ne
sapevo,lo era
tra un attimo rapinerò la casa; Non ne sarei stato sorpreso
vedo volti sinistri,i volti della di gente " Wolfsheim ",dietro di lui
gli arbusti scuri.

" Hai visto qualche problema sulla strada? " chiese dopo un minuto.

" Sì. "

Esitò.

" È stata uccisa? "

" Sì. "

" Così ho pensato; Ho detto a Daisy che lo pensavo. E ' meglio che lo
shock
dovrebbero venire tutti insieme. Ha resistito piuttosto bene. "

Parlò come se la reazione di Daisy fosse l'unica cosa che contava.

» Sono arrivato a West Egg per una strada secondaria » ,continuò,» e ho
lasciato l'auto
il mio garage. Non credo che nessuno ci abbia visto,ma ovviamente non
posso esserlo
Sicuro. "

Ormai lo detestavo così tanto che non lo ritenevo necessario
dirgli che aveva torto.

" Chi era quella donna? ",chiese.

" Il suo nome era Wilson. Suo marito è il proprietario del garage. Come ha
fatto il diavolo
succede? "

" Beh,ho provato a far girare il volante ..." Si interruppe e all'improvviso io
indovinato la verità.

» Stava guidando Daisy? "

» Sì » ,disse dopo un momento,» ma ovviamente dirò di sì. Vedi,
quando abbiamo lasciato New York era molto nervosa e pensava che
sarebbe successo
fermala per guidare - e questa donna si è precipitata verso di noi proprio
mentre eravamo
sorpassando un'auto che veniva dalla direzione opposta. È successo tutto
in un minuto,ma
mi sembrava che volesse parlarci,pensava che lo fossimo
qualcuno che conosceva. Bene,prima Daisy si allontanò dalla donna
l'altra macchina,poi ha perso il coraggio e si è voltata indietro. Il secondo
la mia mano ha raggiunto il volante e ho sentito lo shock : deve averla
uccisa
immediatamente. "

» L'ha squarciata ...»

» Non dirmelo ,vecchio mio. " Fece una smorfia. » Comunque ... Daisy ci ha
messo un piede sopra. lo
ho provato a farla fermare,ma non ci è riuscita , quindi ho attivato
l'emergenza.
freno. Poi mi è caduta in grembo e ho continuato a guidare.

» Starà bene domani » ,disse poco dopo. » Lo farò e basta
aspetta qui e vedi se cerca di disturbarla per quella spiacevolezza
questo pomeriggio. Lei si è chiusa a chiave nella sua stanza,e se lui ci prova
per qualsiasi brutalità spegnerà e riaccenderà la luce. "

Non la toccherà " ,dissi. Non » sta pensando a lei. "

on » mi fido di lui,vecchio mio. "

Quanto tempo aspetterai? "

Tutta la notte,se necessario. Comunque,finché non andranno tutti a letto.

i è venuto in mente un nuovo punto di vista. Supponiamo che Tom scopra
e Daisy
ava guidando. Potrebbe pensare di vedere una connessione in questo –
trebbe
nsare qualsiasi cosa. Ho guardato la casa; ce n'erano due o tre luminosi
estre al piano di sotto e il bagliore rosa della stanza di Daisy a terra
vimento.

Aspetta qui " ,dissi. » Vedrò se c'è qualche segno di a
mmozione. "

ornai lungo il bordo del prato,attraversai la ghiaia
ano,e in punta di piedi salii i gradini della veranda. Le tende del salotto
ano aperti e vidi che la stanza era vuota. Attraversando il portico dove
evamo cenato quella sera di giugno tre mesi prima,ero arrivato a un
colo
ttangolo di luce che immagino fosse la finestra della dispensa. Il cieco
a disegnato,ma ho trovato una spaccatura sul davanzale.

aisy e Tom erano seduti l'uno di fronte all'altro al tavolo della cucina,
n un piatto di pollo fritto freddo in mezzo e due bottiglie di
. Stava parlando intensamente dall'altra parte del tavolo,sia con lei che
l suo
rietà,la sua mano si era posata su di lei e l'aveva coperta. Una volta ogni
entre lei lo guardò e annuì in segno di approvazione.

on erano contenti e nessuno dei due aveva toccato il pollo o il
e ,eppure neanche loro erano infelici . C'era un'aria inconfondibile
naturale intimità nell'immagine,e chiunque lo avrebbe detto
e stavano cospirando insieme.

entre uscivo in punta di piedi dalla veranda,sentii il mio taxi procedere a
ntoni lungo la strada
rada buia verso la casa. Gatsby stava aspettando dove l'avevo lasciato
guida.

E tutto tranquillo lassù? " chiese con ansia.

Sì,è tutto tranquillo. " Ho esitato. » Faresti meglio a tornare a casa a
endere
cuni dormono. "

i scosse la testa.

Voglio aspettare qui finché Daisy non va a letto. Buonanotte,vecchio mio.

se le mani nelle tasche del cappotto e si voltò con impazienza verso le
e
ame accurato della casa,come se la mia presenza ne rovinasse la
cralità
veglia. Così me ne sono andato e l'ho lasciato lì in piedi
aro di luna : vegliare sul nulla.

I

on sono riuscito a dormire tutta la notte; una sirena da nebbia gemeva
cessantemente sul

Il grande Gatsby

Suono,e mi lanciai mezzo nauseato tra la realtà grottesca e la selvaggia,
sogni spaventosi. Verso l'alba sentii un taxi risalire il viale di Gatsby,
e subito saltai giù dal letto e cominciai a vestirmi : sentii che io
aveva qualcosa da dirgli,qualcosa da cui avvertirlo,e la mattina
sarebbe troppo tardi.

Attraversando il suo prato,vidi che la porta di casa era ancora aperta e lui
lo era
appoggiato a un tavolo nell'ingresso,pesante di sconforto o di sonno.

Non è successo niente " " ,disse debolmente. " Ho aspettato,e verso le
quattro
si avvicinò alla finestra e rimase lì per un minuto,poi si voltò
fuori la luce. "

La sua casa non mi era mai sembrata così enorme come quella notte in
cui
cercavamo le sigarette nelle grandi stanze. Ci siamo messi da parte
tende che erano come padiglioni e ricoprivano innumerevoli piedi di feltro
muro scuro per gli interruttori della luce elettrica - una volta sono caduto
con una specie di
schizzare sui tasti di un pianoforte spettrale. C'è stato un inspiegabile
quantità di polvere ovunque,e le stanze erano ammuffite,come se loro
non andava in onda da molti giorni. Ho trovato l'humidor su un sito
sconosciuto
tavolo,con dentro due sigarette stantie e secche. Spalancare i francesi
finestre del salotto,sedevamo a fumare nell'oscurità.

» Dovresti andare via » ,dissi. » È abbastanza certo che rintracceranno
la tua auto. "

» Vai via adesso,vecchio mio? "

" Vai ad Atlantic City per una settimana,o fino a Montreal. "

Non lo prenderebbe in considerazione. Non poteva lasciare Daisy finché
non fosse successo
sapeva cosa avrebbe fatto. Si stava aggrappando a un'ultima speranza e..
Non potevo sopportare di liberarlo.

Fu questa notte che mi raccontò la strana storia della sua giovinezza
Dan Cody me lo ha detto perché " Jay Gatsby " si era rotto come il vetro
contro la dura malizia di Tom ,e la lunga stravaganza segreta ebbe inizio
fuori. Penso che avrebbe riconosciuto qualsiasi cosa adesso,senza
riserva,ma voleva parlare di Daisy.

Era la prima ragazza " carina " che avesse mai conosciuto. In vari non
rivelati
capacità con cui era entrato in contatto con queste persone,ma con le
quali sempre
filo spinato indiscernibile in mezzo. La trovò eccitante
auspicabile. Si recò a casa,dapprima con altri agenti
Camp Taylor,poi da solo. Lo stupì : non si era mai trovato in una situazione
del genere
bella casa prima. Ma cosa gli dava un'aria senza fiato
intensità,era che Daisy vivesse lì : per lei era una cosa altrettanto casuale
come lo era per lui la sua tenda nell'accampamento. C'era un mistero
maturo a riguardo,
un accenno di camere da letto al piano superiore più belle e fresche delle
altre
camere da letto,delle attività allegre e radiose che si svolgono attraverso
le sue
corridoi e di storie d'amore che non erano ammuffite e già messe da parte
color lavanda ma fresco,respirante e profumato di anno quest
automobili lucenti e di danze i cui fiori appena si vedevano
appassito. Lo eccitava anche ciò che molti uomini avevano già amato
Daisy : aumentava il suo valore ai suoi occhi. Sentiva tutti la loro presenza
per la casa,pervadendo l'aria con le ombre e gli echi della quiete
emozioni vibranti.

Il grande Gatsby

/la sapeva di trovarsi a casa di Daisy da un colossale
ıcidente. Per quanto glorioso potesse essere il suo futuro come Jay
ıatsby,lo era
ı momento un giovane squattrinato e senza passato,e da un momento
ll'altro il
ı mantello invisibile della sua uniforme potrebbe scivolargli dalle spalle. Così
ıl
ı a sfruttato al massimo il suo tempo. Ha preso quello che poteva
ttenere,voracemente e
ıenza scrupoli - alla fine prese Daisy,in una tranquilla notte di ottobre,prese
ıı perché non aveva alcun diritto reale di toccarle la mano.

ıvrebbe potuto disprezzare se stesso,perché sicuramente l'aveva presa in
ıappola
ılse pretese. Non voglio dire che avesse barattato sul suo fantasma
ıilioni,ma aveva deliberatamente dato a Daisy un senso di sicurezza; Lui
ısciale credere che fosse una persona più o meno dello stesso ceto
ıociale di
ı e stessa – che era pienamente in grado di prendersi cura di lei. Per una
ıuestione di
ı effetti,non aveva tali strutture : non aveva una famiglia agiata
ıetro di lui,ed era responsabile dei capricci di un governo impersonale
ıssere trasportato ovunque nel mondo.

/la non si disprezzava e le cose non andarono come lui
ınmaginato. Probabilmente aveva avuto intenzione di prendere quello che
ıoteva e andarsene ... ma...
ıra scoprì di essersi impegnato a seguire a
ıraal. Sapeva che Daisy era straordinaria,ma non se ne rendeva conto
ıuanto straordinaria possa essere una ragazza " carina ". Lei svanì
ıentro di lei
ısa ricca,nella sua vita ricca e piena,lasciando Gatsby - niente. Lo sentiva
ıposato con lei,tutto qui.

ıuando si incontrarono di nuovo,due giorni dopo,fu Gatsby a restare senza
ıato.
ıhe è stato,in qualche modo,tradito. Il suo portico era illuminato dagli
ıcquisti
ılusso dello splendore delle stelle; il vimini del divano cigolava alla moda
ıl si volto verso di lui e lui baciò la sua bocca curiosa e adorabile. Lei
ıeva preso un raffreddore e questo rendeva la sua voce più roca e
ıffascinante
ıne mai,e Gatsby era straordinariamente consapevole della giovinezza e
ıistero che la ricchezza imprigiona e preserva,della freschezza di molti
ıestiti,e di Daisy,scintillante come l'argento,sicura e orgogliosa sopra il
ıtte accese dei poveri.

--- ---------------------

ıon, " posso descriverti quanto fui sorpreso di scoprire che l'amavo,
ıecchio sport. Per un po' ho anche sperato che mi buttasse a terra,ma lei
ıo ,perché anche lei era innamorata di me. Pensava che sapessi molto
ıerché sapevo cose diverse da lei ... Ecco,eccomi lì,molto lontana
ı mie ambizioni,innamorandosi sempre di più ogni minuto,e all'improvviso
ıon mi importava. A che sarebbe servito fare grandi cose se avessi
ıotuto?
ıra il momento migliore per dirle cosa avrei fatto? "

ıltimo pomeriggio prima di partire all'estero,si sedette nella sua stanza
ıon Daisy
ıraccia per un tempo lungo e silenzioso. Era una fredda giornata autunnale,
ıon il fuoco in mezzo
ıtanza e le sue guance arrossirono. Di tanto in tanto lei si muoveva e lui
ıambiava il suo
ıraccio un po',e una volta le baciò i capelli scuri e lucenti. Il pomeriggio
ıaveva tranquillizzati per un po',come per donare loro un ricordo profondo
ır la lunga separazione promessa il giorno successivo. Non erano mai
ıtati così vicini

Il grande Gatsby

nel loro mese d'amore,né hanno comunicato più profondamente uno con un'altra,di quando sfiorò con le sue labbra silenziose la spalla della sua giacca
o quando le toccava la punta delle dita,delicatamente,come se lo fosse addormentato.

-- --------------------

Se la cavò straordinariamente bene durante la guerra. Era un capitano prima di lui
andò al fronte e dopo le battaglie delle Argonne ottenne il suo maggioranza e il comando delle mitragliatrici divisionali. Dopo il armistizio cercò freneticamente di tornare a casa,ma qualche complicazione o
un malinteso lo mandò invece a Oxford. Adesso era preoccupato ... ecco, c'era una sorta di disperazione nervosa nelle lettere di Daisy . Lei non ha visto
perché non poteva venire . Sentiva la pressione del mondo fuori,e voleva vederlo e sentire la sua presenza accanto a lei ed essere rassicurato che,dopo tutto,stava facendo la cosa giusta.

Perché Daisy era giovane e il suo mondo artificiale odorava di orchidee e piacevole,allegro snobismo e orchestre che scandiscono il ritmo l'anno,riassumendo in modo nuovo la tristezza e la suggestione della vita brani. Per tutta la notte i sassofoni gemettero il commento disperato del " Beale Street Blues " mentre un centinaio di paia d'oro e d'argento le pantofole mescolavano la polvere lucente. All'ora grigia del tè c'erano sempre stanze che pulsavano incessantemente di questa bassa,dolce febbre,
mentre volti nuovi andavano alla deriva qua e là come petali di rosa sospint dal vento
corna tristi sul pavimento.

Attraverso questo universo crepuscolare Daisy ricominciò a muoversi con il
stagione; all'improvviso aveva di nuovo una mezza dozzina di appuntamenti al giorno
una mezza dozzina di uomini,e addormentarsi all'alba con le perle e lo chiffon di un abito da sera aggrovigliato tra le orchidee morenti sul pavimento
accanto al suo letto. E per tutto il tempo qualcosa dentro di lei chiedeva a decisione. Voleva che la sua vita prendesse forma adesso,immediatamente - e la decisione
deve essere fatto con una qualche forza : dell'amore,del denaro, dell'indiscutibile
la praticità : era a portata di mano.

Quella forza ha preso forma in piena primavera con l'arrivo di Tom Buchanan. C'era una sana voluminosità nella sua persona e nella sua posizione,e Daisy ne fu lusingata. Senza dubbio ce n'era una certa lotta e un certo sollievo. La lettera raggiunse Gatsby mentre era in viaggio ancora a Oxford.

-- --------------------

Era ormai l'alba a Long Island e ci accingemmo ad aprire il resto le finestre del piano di sotto,riempiendo la casa di grigiore, luce che diventa oro. L'ombra di un albero cadde all'improvviso sulla rugiada e uccelli spettrali cominciarono a cantare tra le foglie azzurre. C'era un movimento lento e piacevole nell'aria,appena un vento,che promette un fresco,
bella giornata.

» Non credo che lei lo abbia mai amato. Gatsby si voltò da una finestra e mi guardò con aria di sfida. » Devi ricordartelo,vecchio mio,lo era molto emozionato questo pomeriggio. Le disse quelle cose in un modo cos la spaventava : questo faceva sembrare che io fossi una specie di tirchio più hitido. E il risultato fu che quasi non sapeva cosa stava dicendo. "

i sedette cupamente.

Naturalmente lei avrebbe potuto amarlo solo per un minuto,quando lo
rano
i sono sposato per la prima volta ... e anche allora mi amavo di più,
apisci?

ll'improvviso uscì con un'osservazione curiosa.

In ogni caso " ,ha detto," era solo una questione personale. "

osa potresti farne,se non sospettare una certa intensità nel suo
oncezione della vicenda che non poteva essere misurata?

tornato dalla Francia quando Tom e Daisy erano ancora in viaggio
aggio di nozze e ha fatto un viaggio miserabile ma irresistibile
ouisville con l'ultima paga dell'esercito. Rimase lì una settimana,
amminando per le strade dove i loro passi avevano risuonato insieme
notte di novembre e rivisitare i luoghi fuori mano verso i quali
vevano guidato con la sua macchina bianca. Proprio come aveva sempre
tto a casa di Daisy
i sembrava più misterioso e allegro delle altre case,così è stata la sua
ea
ella città stessa,anche se lei se ne era andata,ne era pervasa
malinconica bellezza.

e ne andò con la sensazione che se avesse cercato più a fondo,avrebbe
otuto trovare
i - che la stava lasciando indietro. L'allenatore diurno ... era senza un soldo
lesso ... faceva caldo. Uscì nel vestibolo aperto e si sedette su un
edia pieghevole,e la stazione scivolò via e gli schienali di sconosciuti
lifici spostati. Poi fuori nei campi primaverili,dove una giallo
carrello li ha fatti correre per un minuto con dentro persone che una
olta avrebbero potuto farlo
di la pallida magia del suo viso lungo la strada informale.

a pista curvava e ora si stava allontanando dal sole,il che,come se fosse
profondava più in basso,sembrava espandersi in segno di benedizione su
li svaniva
tta dove aveva preso fiato. Allungò la mano
speratamente,come per strappare solo un soffio d'aria,per salvarne un
ammento
posto che lei aveva reso adorabile per lui. Ma anche tutto stava
assando
eloce adesso per i suoi occhi offuscati e sapeva di aver perso quella parte
esso,il più fresco e il migliore,per sempre.

ano le nove quando finimmo di fare colazione e uscimmo in spiaggia
ortico. La notte aveva fatto una netta differenza nel tempo e lì
era nell'aria il sapore dell'autunno. Il giardiniere,l'ultimo dei
i Gatsby arrivarono ai piedi dei gradini.

ggi » prosciugherò la piscina,signor Gatsby. Le foglie inizieranno
adono presto e poi ci sono sempre problemi con i tubi. "

Non farlo oggi " ,rispose Gatsby. Si rivolse a me in tono di scusa.
Sai,vecchio mio,non ho mai usato quella piscina per tutta l'estate? "

o guardato l'orologio e mi sono alzata.

Dodici minuti al mio treno. "

on volevo andare in città. Non valevo un colpo decente
voro,ma era qualcosa di più : non volevo lasciare Gatsby. IO
o perso quel treno,e poi un altro,prima che potessi andarmene.

Ti chiamo » ,dissi alla fine.

Fallo,vecchio mio. "

Ti » chiamo verso mezzogiorno. "

Scendemmo lentamente le scale.

» Immagino che chiamerà anche Daisy. " Mi guardò con ansia,come se lui speravo di confermarlo.

" Suppongo di sì. "

" Bene,arrivederci. "

Ci siamo stretti la mano e sono partito. Poco prima di raggiungere la siepe si ricordò qualcosa e si voltò.

" Sono una folla schifosa " ,ho gridato attraverso il prato. " Vali la pena tutto il dannato gruppo messo insieme. "

Sono sempre stato felice di averlo detto. È stato l'unico complimento che abbia mai ricevuto glielho dato,perché lo disapprovavo dal principio alla fine. Prima lui, annuì educatamente,e poi il suo viso assunse un'espressione radiosa e sorriso comprensivo,come se fossimo stati in estatica combutta per questo fatto tutto il tempo. Il suo splendido abito rosa stracciato faceva un punto luminoso colore contro i gradini bianchi,e pensavo alla notte in cui io era venuto per la prima volta nella sua casa ancestrale,tre mesi prima. Il prato e Il viale era stato affollato dai volti di coloro che avevano indovinato il suo corruzione — e lui era rimasto su quei gradini,nascondendo la sua sogno incorruttibile,mentre li salutava.

L'ho ringraziato per la sua ospitalità. Lo ringraziavamo sempre per quello ... io e gli altri.

" Addio " ,ho chiamato. " Mi è piaciuta la colazione,Gatsby. "

-- ----------------------

Lassù in città,ho provato per un po' a elencare le citazioni su un quantità interminabile di scorte,poi mi sono addormentato sulla mia sedia girevole. Poco prima di mezzogiorno il telefono mi ha svegliato e mi sono alzato sudato scoppiandomi sulla fronte. Era Jordan Baker; mi chiamava spesso alzarsi a quest'ora perché l'incertezza dei propri movimenti In mezzo alberghi,club e case private la rendevano difficile da trovare in nessun altro modo. Di solito la sua voce arrivava via cavo come qualcosa di fresco e fresco, come se una buca da un campo da golf verde fosse arrivata navigando ne finestra dell'ufficio,ma stamattina sembrava dura e asciutta.

" Ho lasciato la casa di Daisy " ,disse. » Sono a Hempstead e sto andando giù a Southampton questo pomeriggio. "

Probabilmente era stato un atto di tatto lasciare la casa di Daisy ,ma l'atto mi irritò,e la sua osservazione successiva mi rese rigido.

Non » sei stato così gentile con me ieri sera. "

" Che importanza avrebbe potuto avere allora? "

Silenzio per un momento. Poi:

» Comunque ... voglio vederti. "

Voglio vederti anch'io. "

Supponiamo che non vada a Southampton e venga in città questa volta pomeriggio? "

No ... non credo questo pomeriggio. "

Ottimo. "

E ' impossibile questo pomeriggio. Vari ..."

Abbiamo parlato così per un po',poi all'improvviso non abbiamo più parlato con più, Non so chi di noi due abbia riattaccato con un clic secco,ma io non mi importava. Non avrei potuto parlarle davanti a un tavolino da tè quel giorno se non le avessi mai più parlato in questo mondo.

Ho chiamato a casa di Gatsby qualche minuto dopo,ma la linea era occupata. IO rovato quattro volte; alla fine un centrale esasperato mi disse che il filo era venuto aperto per lunghe distanze da Detroit. Tirando fuori il mio rario,ho tracciato un piccolo cerchio attorno al treno delle tre e inquanta. Quindi io Mi appoggiò allo schienale della sedia e cercò di pensare. Era appena mezzogiorno.

-- ---------------------

Quando quella mattina passai davanti ai mucchi di cenere in treno,avevo attraversato deliberatamente dall'altra parte della macchina. Supponevo che ci sarebbe tato un olla curiosa lì intorno tutto il giorno con ragazzini in cerca del buio nacchie nella polvere,e qualche uomo loquace che continua a ripetere cosa ra successo,fino a diventare sempre meno reale anche per lui e per lui on poteva più dirlo,e il tragico risultato di Myrtle Wilson lo fu imenticato. Ora voglio tornare un po' indietro e raccontare cosa è uccesso garage dopo che ce ne eravamo andati la sera prima.

Hanno avuto difficoltà a localizzare la sorella,Catherine. Deve averlo fatto a infranto la sua regola contro il bere quella notte,perché quando è arrivata lei ra stupido con l'alcol e non riusciva a capire cosa avesse l'ambulanza la andato a Flushing. Quando l'hanno convinta di questo,lei nmediatamente svenne,come se quella fosse la parte intollerabile del ffare. Qualcuno,gentile o curioso,la prese con la sua macchina e la portò entro a scia del corpo di sua sorella .

ino a molto dopo mezzanotte una folla mutevole si accalcava davanti alla acciata el garage,mentre George Wilson si dondolava avanti e indietro divano all'interno. Per un po' la porta dell'ufficio rimase aperta,e utti coloro che entravano nel garage vi guardavano irresistibilmente. lla fine qualcuno disse che era un peccato e chiuse la porta. Michaelis molti altri uomini erano con lui; prima,quattro o cinque uomini,poi ue o tre uomini. Ancora più tardi Michaelis dovette chiedere all'ultimo conosciuto spettare lì ancora quindici minuti,mentre tornava a casa sua osto e preparò una tazza di caffè. Dopodiché rimase lì da solo Vilson fino all'alba.

erso le tre il tipo del mormorio incoerente di Wilson ambiato si è calmato e ha cominciato a parlare della macchina gialla. Lui nnunciò che aveva un modo per scoprire chi era la macchina gialla ppartaneva,e poi ha sbottato che un paio di mesi fa era suo

Il grande Gatsby

La moglie era venuta dalla città con la faccia ammaccata e il naso gonfio.

Ma quando si sentì dire questo,sussultò e cominciò a gridare: " Oh, mio Dio! " di nuovo con la sua voce lamentosa. Michaelis ha fatto un goffo tentativo
per distrarlo.

» Da quanto tempo sei sposato,George? Vieni li,prova a sederti ancora un minuto e rispondi alla mia domanda. Quanto sei stato sposato? "

" Dodici anni. "

" Hai mai avuto figli? Dai,George,stai fermo : te l'ho chiesto a domanda. Hai mai avuto figli? "

I duri scarafaggi marroni continuavano a rimbombare contro la luce fioca,e ogni volta che Michaelis sentiva un'auto sfrecciare lungo la strada fuori gli sembrava l'auto che non si era fermata qualche ora prima.
Non gli piaceva entrare nel garage,perché c'era il banco da lavoro macchiato nel punto in cui giaceva il corpo,quindi si mosse a disagio in giro per l'ufficio - conosceva ogni oggetto prima del mattino - e da di tanto in tanto si sedeva accanto a Wilson cercando di farlo stare più tranquillo.

» Hai una chiesa in cui vai qualche volta,George? Forse anche se tu non ci vai da molto tempo? Forse potrei chiamare la chiesa e fai venire un prete e lui potrebbe parlarti,vedi? "

" Non **appartengo** a nessuno. "

» Dovresti avere una chiesa,George,per momenti come questo. Devi sono andato in chiesa una volta. Non ti **sei** sposato in chiesa? Ascoltare, George,ascoltami. Non ti **sei** sposato in chiesa? "

" Questo è stato molto tempo fa. "

Lo sforzo di rispondere ruppe il ritmo del suo dondolio ... per un momento era silenzioso. Poi arrivò lo stesso sguardo per metà consapevole e per metà sconcertato
di nuovo nei suoi occhi sbiaditi.

" Guarda lì nel cassetto " ,disse,indicando la scrivania.

" Quale cassetto? "

» Quel cassetto ... quello. "

Michaelis aprì il cassetto più vicino alla sua mano. Non c'era niente dentro ma un guinzaglio piccolo e costoso,fatto di cuoio e intrecciato argento. Apparentemente era nuovo.

" Questo? " chiese,sollevandolo.

Wilson lo fissò e annuì.

» L'ho trovato ieri pomeriggio. Ha provato a parlarmelo,ma io sapeva che era qualcosa di divertente. "

" Vuoi dire che l'ha comprato tua moglie? "

" Lo aveva avvolto in carta velina sul suo comò. "

Michaelis non ci vide nulla di strano e ne diede a Wilson una dozzina ragioni per cui sua moglie potrebbe aver comprato il guinzaglio. Ma plausibilmente
Wilson aveva già sentito alcune di queste stesse spiegazioni,da Myrtle,

erché cominciò a dire " : Oh,mio Dio! " di nuovo in un sussurro : la sua
apunta
lasciato nell'aria diverse spiegazioni.

Poi l'ha uccisa " ,ha detto Wilson. La sua bocca si spalancò all'improvviso.

Chi ha fatto? "

Ho un modo per scoprirlo. "

Sei morboso ,George." ,disse il suo amico. " È stata una faticaccia
e non sai cosa stai dicendo . Faresti meglio a provare a sederti
anquillo fino al mattino. "

L'ha uccisa. "

È stato un incidente,George. "

/ilson scosse la testa. I suoi occhi si strinsero e la sua bocca si spalancò
ggermente con il fantasma di un superiore " Hm! "

Lo so " ,disse definitivamente. " Io sono uno di questi ragazzi fiduciosi e

n pensare male a nessuno,ma quando vengo a sapere una cosa la so
sso. Era l'uomo in quella macchina. È corsa fuori per parlare con lui e lui
n si fermerebbe ."

nche Michaelis l'aveva visto,ma non gli era venuto in mente che fosse lì
eva un significato speciale in esso. Credeva che la signora Wilson lo
esse fatto
scappata da suo marito,invece di cercare di fermarlo
ettura particolare.

Come poteva essere così? "

È una persona profonda " ,disse Wilson,come se questo rispondesse
a domanda.
Ah-hh ..."

ziò di nuovo a dondolarsi e Michaelis rimase lì a girare il guinzaglio nel suo
ano.

Forse hai qualche amico a cui posso telefonare,George? "

uesta era una speranza vana : era quasi sicuro che Wilson non avesse
nici:
n ce n'era abbastanza per sua moglie. Un po' più tardi fu contento
ando notò un cambiamento nella stanza,un azzurro che si vivacizzava
cino alla finestra,
si rese conto che l'alba non era lontana . Verso le cinque era blu
bastanza fuori per spegnere la luce.

Wilson si volsero ai mucchi di cenere,dove erano piccoli grigi
nuvole assumevano forme fantastiche e correvano qua e là nell'aria
ebole vento dell'alba.

Le ho parlato » ,mormorò dopo un lungo silenzio. " Le ho detto lei
rebbe potuto ingannare me,ma lei non poteva ingannare Dio. L'ho
rtata al
estrino ."- con uno sforzo si alzò e andò al finestrino posteriore e
appoggiò con la faccia premuta contro di essa -" e io dissi " : Dio sa
sa
i fatto ,tutto quello che hai fatto. Potresti ingannarmi,ma
n puoi ingannare Dio! '"

ando dietro di lui,Michaelis vide con shock che stava guardando
occhi del dottor TJ Eckleburg,che erano appena usciti,pallidi e
orme,dalla notte che si dissolve.

Il grande Gatsby

" Dio vede tutto " ,ripeteva Wilson.

" Questa è una pubblicità " ,gli assicurò Michaelis. Qualcosa lo ha creato allontanati dalla finestra e guarda indietro nella stanza. Ma Wilson rimase lì a lungo,con la faccia appoggiata al vetro della finestra,ad annuire nel crepuscolo.

--- --------------------

Alle sei Michaelis era esausto e grato per il suono di un macchina che si ferma fuori. Era uno dei guardiani della notte prima che aveva promesso di tornare,quindi ha preparato la colazione per tre,il che lui e l'altro uomo mangiarono insieme. Wilson era più tranquillo adesso,e Michaelis andò a casa a dormire; quando si svegliò quattro ore dopo e Tornò di corsa al garage,Wilson non c'era più.

I suoi movimenti — era sempre a piedi — furono poi rintracciati Port Roosevelt e poi a Gad s' Hill,dove comprò un panino non ha mangiato e una tazza di caffè. Doveva essere stanco e... camminando lentamente,perché non raggiunse Gad s' Hill prima di mezzogiorno. Finora non c'era difficoltà a tenere conto del suo tempo : c'erano ragazzi che aveva visto un uomo " comportarsi in modo un po 'pazzo " e automobilist che fissava stranamente dal lato della strada. Poi per tre ore è scomparso dalla vista. La polizia,in base a ciò che ha detto a Michaelis, che " aveva un modo per scoprirlo " ,supponeva di aver trascorso quel tempo andando di garage in garage nei dintorni,chiedendo una macchina gialla. SL D'altra parte,nessun garage che lo avesse visto si fece mai avanti,e forse aveva un modo più semplice e più sicuro per scoprire ciò che voleva Sapere. Alle due e mezzo era a West Egg,dove chiese a qualcuno il strada verso la casa di Gatsby . Quindi a quel punto conosceva il nome Gatsby .

--- --------------------

Alle due Gatsby si mise il costume da bagno e lasciò parola al maggiordomo che se qualcuno avesse telefonato gli sarebbe stato portat un messaggio piscina. Si fermò al garage per prendere un materasso pneumatico che aveva divertito i suoi ospiti durante l'estate,e l'autista lo aiutava a farlo pompalo. Poi ha dato istruzioni affinché la vettura scoperta non dovesse esistere tolto in nessuna circostanza - e questo era strano,perché il il parafango anteriore destro necessitava di riparazione.

Gatsby si mise il materasso in spalla e si avviò verso la piscina. Una volta lui si fermò e la spostò leggermente,e l'autista gli chiese se era lui aveva bisogno di aiuto,ma scosse la testa e in un attimo scomparve in mezzo gli alberi ingialliti.

Non arrivò nessun messaggio telefonico,ma il maggiordomo se ne andò senza dormire e l'ho aspettato fino alle quattro ,finché molto tempo dopo non c'era nessuno darglielo se arrivasse. Ho l'idea che Gatsby stesso non lo sapesse credeva che sarebbe arrivato,e forse non gli importava più. Se così fosse vero,deve aver sentito di aver perso il vecchio mondo caldo,pagato a prezzo alto per aver vissuto troppo a lungo con un solo sogno. Lui deve avere guardò un cielo sconosciuto attraverso foglie spaventose e rabbrividì mentre scopriva quanto fosse grottesca una rosa e quanto fosse cruda luce del sole

ra sull'erba appena creata. Un mondo nuovo,senza materia
ssere reale,dove i poveri fantasmi,respirando sogni come aria,andavano
lla deriva
ortuitamente intorno ... come quella figura cinerea e fantastica che scivola
erso
ll attraverso gli alberi amorfi.

autista - era uno dei protetti di Wolfsheim - sentì il messaggio
olpi - dopo poté solo dire che non aveva pensato a niente.
nolto su di loro. Dalla stazione andai direttamente a casa di Gatsby
la prima cosa che ho fatto è stata il mio correre ansiosamente su per i
radini dell'ingresso
llarmato nessuno. Ma allora lo sapevano,ne sono fermamente convinto.
on appena a
)etto ciò,noi quattro,l'autista,il maggiordomo,il giardiniere e io ci
ffrettammo
iu in piscina.

'era un debole,appena percettibile movimento dell'acqua mentre il
flusso fresco da un'estremità si dirigeva verso lo scarico dall'altra.
on piccole increspature che difficilmente erano le ombre delle onde,il
arico
materasso si spostava irregolarmente lungo la piscina. Una piccola folata
i vento quella
astava la superficie appena ondulata a disturbarne l'accidentalità
vviamente con il suo onere accidentale. Il tocco di un grappolo di foglie
) giro lentamente,tracciando,come la tappa di transito,un sottile rosso
erchio nell'acqua.

u dopo che ci avviammo con Gatsby verso la casa che il giardiniere
ide il corpo di Wilson poco lontano,nell'erba,e l'olocausto avvenne
ompletare.

X

opo due anni ricordo il resto di quel giorno,e di quella notte e
giorno dopo,solo come un'esercitazione infinita di polizia e fotografi e
lornalisti dentro e fuori dalla porta .di Gatsby Una corda tesa
ttraverso il cancello principale e un poliziotto teneva lontani i curiosi,ma
ragazzini scoprirono presto che potevano entrare dal mio cortile,e
e n'erano sempre alcuni raggruppati a bocca aperta attorno al
iscina. Qualcuno con modi positivi,forse un detective,ha usato il
spressione " pazzo " mentre si chinava sul corpo di Wilson quel
omeriggio,e
autorità avventizia della sua voce dava la chiave al giornale
ferisce la mattina dopo.

a maggior parte di questi resoconti erano un incubo : grotteschi,
ircostanziati,
esideroso e falso. Quando la testimonianza di Michaelis durante
nchiesta portò l
er illuminare i sospetti di Wilson nei confronti della moglie ho pensato a
utta la storia
arebbe stato presto servito in un'audace pasquinata - ma Catherine,chi
otrebbe
o detto qualcosa,non ho detto una parola. Ha mostrato una quantità
orprendente
nche di carattere a questo riguardo — guardò il coroner con occhi
eterminati
otto quella sua fronte corretta,e giurò che sua sorella non l'aveva mai
atto
sto Gatsby,che sua sorella era completamente felice con suo marito,
ne sua sorella non aveva combinato alcun guaio. Lei ha convinto
e ne scusò,e pianse nel fazzoletto,come se fosse proprio così
suggerimento era più di quanto potesse sopportare. Quindi Wilson è
tato ridotto a a
omo " sconvolto dal dolore " affinché il caso rimanesse nel suo
forma più semplice. E lì è rimasto.

Il grande Gatsby

Ma tutta questa parte sembrava remota e non essenziale. ho trovato me stesso
dalla parte .e da solo ,di Gatsby Dal momento in cui ho telefonato per la notizia del
catastrofe al villaggio di West Egg,ogni supposizione su di lui e ogni questione pratica,mi è stata indirizzata. All'inizio sono rimasto sorpreso e confuso; poi,mentre giaceva in casa sua e non si muoveva né respirava né parlare,ora, dopo ora,cresceva in me la consapevolezza di essere responsabile,perché
nessun altro era interessato - interessato,intendo,con quella intensità interesse personale su cui ognuno ha qualche vago diritto alla fine.

Ho chiamato Daisy mezz'ora dopo averlo trovato,l'ho chiamata istintivamente e senza esitazione. Ma lei e Tom se n'erano andati nel primo pomeriggio e portarono con sé i bagagli.

" Non hai lasciato l'indirizzo? "

" NO. "

" Dimmi quando sarebbero tornati? "

" NO. "

" Hai idea di dove siano? Come potrei raggiungerli? "

" Non lo so. Non posso dirlo. "

Volevo prendergli qualcuno. Volevo entrare nella stanza dove si sdraiò e lo rassicuro: " Ti prenderò qualcuno,Gatsby . Non _ _ preoccupazione. Fidati di me e ti troverò qualcuno ..."

Il nome di Meyer Wolfsheim non era sull'elenco telefonico. Me l'ha dato il maggiordomo
l'indirizzo del suo ufficio a Broadway,e ho chiamato l'Ufficio Informazioni,ma dal
volta che ho ricevuto il numero erano passate da tempo le cinque e nessuno ha risposto
telefono.

" Suonerai ancora? "

" Ho chiamato tre volte. "

" È molto importante . "

" Scusa. Temo che non ci sia nessuno . "

Tornai in salotto e pensai per un istante che loro
Erano visitatori casuali,tutte queste persone ufficiali che all'improvviso si riempivano
Esso, Ma,nonostante tirassero indietro il lenzuolo e guardassero Gatsby occhi scioccati,la sua protesta continuava nel mio cervello:

» Senti,vecchio mio,devi trovarmi qualcuno. Hai
sforzarsi. Non posso affrontare tutto questo da solo. "

Qualcuno ha iniziato a farmi domande,ma io mi sono staccato e sono andato
frettolosamente attraverso le parti aperte della scrivania : lo fece non mi ha mai detto con certezza che i suoi genitori erano morti. Ma c'era niente ; solo la foto di Dan Cody,segno di una violenza dimenticata, fissando dal muro.

La mattina dopo mandai il maggiordomo a New York con una lettera a Wolfsheim,
che gli chiedeva informazioni e lo esortava a uscire allo scoperto il giorno successivo

Il grande Gatsby

eno. Quella richiesta mi sembrava superflua quando l'ho scritta. ero
curo
rebbe cominciato non appena avesse visto i giornali,proprio perché ero
curo che ce ne sarebbero stati
elegramma di Daisy prima di mezzogiorno ... ma né un telegramma né il
gnor Wolfsheim
rivato; non è arrivato nessuno tranne altri poliziotti e fotografi e
mini dei giornali. Quando il maggiordomo mi riportò la risposta di
olfsheim cominciai
ovare un sentimento di sfida,di sprezzante solidarietà tra Gatsby
io contro tutti loro.

aro signor Carraway. Questo è stato uno degli shock più terribili
mia vita per me difficilmente riesco a credere che sia vero. Come un
n atto folle come ha fatto quell'uomo dovrebbe farci riflettere tutti. Non
osso scendere
a che sono impegnato in alcuni affari molto importanti e non riesco a
rcela
pinvolto in questa cosa adesso. Se c'è qualcosa che posso fare un po'
oi fatemelo sapere in una lettera di Edgar. Non so quasi dove mi trovo e
uando
o sentito parlare di una cosa del genere e sono completamente
obattuto e
ori.

ordialmente

eyer Wolfsheim

poi frettolose aggiunte sotto:

ammi sapere del funerale ecc. Non conosco affatto la sua famiglia.

uando il telefono squillò quel pomeriggio e l'Interurbana disse che Chicago
ra
niamando pensavo che finalmente sarebbe stata Daisy. Ma la
onnessione è arrivata
ttraverso come una voce maschile , molto sottile e lontana.

Questo è Slagle che parla ..."

Sì? Il nome non gli era familiare.

Che bella nota,vero ? Prendi il mio filo? "

on " ci sono stati cavi. "

Il giovane Parke è nei guai » ,disse rapidamente. " Lo hanno preso quando
onsegnò le obbligazioni allo sportello. Hanno ricevuto una circolare da New
ork gli ha dato i numeri solo cinque minuti prima. Che ne sai ?
riguardo,eh? Non si può mai dire in queste cittadine di provincia ...»

Ciao! " lo interruppi senza fiato. " Senti un po' : questo non è Mr.
atsby. Il signor Gatsby è morto. "

fu un lungo silenzio dall'altra parte del filo,seguito da un
sclamazione ... poi un rapido strillo quando la connessione si è interrotta.

--   ----------------------

enso che fosse il terzo giorno che un telegramma firmato Henry C. Gatz
rivato da una città del Minnesota, Diceva solo che il mittente era
rtire immediatamente e rinviare il funerale al suo arrivo.

a il padre di Gatsby ,un vecchio solenne,molto indifeso e sgomento,
agottato in un lungo mantello da quattro soldi contro la calda giornata di
ettembre. Il suo
occhi perdevano continuamente per l'eccitazione,e quando presi la borsa

Il grande Gatsby

l'ombrello dalle sue mani cominciò a tirarlo incessantemente
barba grigia che facevo fatica a togliergli il cappotto. Era acceso
al punto di crollare,così l'ho portato nella sala da musica e l'ho fatto
siediti mentre mando a prendere qualcosa da mangiare. Ma non voleva
mangiare ,e
il bicchiere di latte gli cadde dalla mano tremante.

" L'ho visto sul giornale di Chicago," ,ha detto. " Era tutto nel
Giornale di Chicago. Ho iniziato subito. "

" Non **sapevo** come contattarti. "

I suoi occhi,non vedendo nulla,si muovevano incessantemente per la stanza.

" Era un pazzo " ,ha detto. » Deve essere stato pazzo. "

" Non **vorresti** un po' di caffè? " lo incitai.

" Non **voglio** niente. Sto **bene** adesso,signor ...»

" Carway. "

» Bene,sto **bene** adesso. Dove hanno portato Jimmy? "

Lo portai nel salotto,dove giaceva suo figlio,e lo lasciai
là. Alcuni ragazzini erano saliti sui gradini e guardavano dentro
l'entrata; quando ho detto loro chi era arrivato,se ne sono andati con
riluttanza
lontano.

Dopo un po' il signor Gatz aprì la porta e venne fuori,a bocca aperta
socchiuso,il viso leggermente arrossato,gli occhi che perdono isolati e
lacrime intempestive. Aveva raggiunto un'età in cui la morte non ha più il
potere
qualità di spaventosa sorpresa,e quando si guardò intorno per cercare il
prima volta e ho visto l'altezza e lo splendore della sala e del grande
stanze che da esso si aprivano in altre stanze,il suo dolore cominciò a
manifestarsi
mescolato con un orgoglio reverenziale. L'ho aiutato a raggiungere una
camera da letto al piano di sopra; mentre lui
si tolse il cappotto e il gilet e gli dissi che tutti gli accordi erano stati presi
rinviato fino al suo arrivo.

» Non **sapevo** cosa avrebbe **voluto** ,signor Gatsby ...»

" Gatz è il mio nome. "

"... Signor Gatz. Pensavo che volessi portare il corpo all'Ovest. "

Lui scosse la testa.

» A Jimmy è sempre piaciuto di più l'Est. Ha raggiunto la sua posizione in
l'Est. Eri un amico di mio figlio , signor ... ? "

" Eravamo amici intimi. "

" Aveva un grande futuro davanti a sé,lo sai. Era solo un giovane,
ma qui aveva un sacco di cervello. "

Si toccò la testa in modo impressionante e io annuii.

» Se **fosse** vissuto,sarebbe stato un grand'uomo. Un uomo come James
J
Collina. Aveva **contribuito** a costruire il paese. "

» È **vero** » ,dissi,a disagio.

Armeggiò con la coperta ricamata,cercando di prenderla dal
letto e si sdraio rigidamente : si addormentò all'istante.

Quella notte una persona evidentemente spaventata chiamò e chiese di
arlo
apere chi ero prima che dicesse il suo nome.

Questo è il signor Carraway " ,dissi.

OH! Sembrava sollevato. " Questo è Klipspringer. "

Anch'io ero sollevato,perché sembrava che questo promettesse a un altro
mico
i Gatsby. . Non volevo che finisse sui giornali e che disegnasse un
olla di turisti,quindi anch'io ho chiamato alcune persone. Essi
rano difficili da trovare.

Il funerale è domani » dissi. » Le tre , qui a casa.
orrei che lo dicessi a chiunque fosse interessato. "

Oh,lo farò " ,si affrettò a dire. » Naturalmente non è probabile che lo
edrò
hiunque,ma se lo faccio. "

suo tono mi ha insospettito.

Naturalmente ci sarai anche tu. "

Beh,ci proverò sicuramente. Ciò per cui ho chiamato è ..."

Aspetta un attimo " ,lo interruppi. " Che ne dici di dire che verrai? "

Ebbene,il fatto è che... la verità è che resterò con noi
lcune persone qui a Greenwich,e preferiscono aspettarsi che io sia con
he
ro domani. In effetti,c'è una specie di picnic o qualcosa del genere. Di
vviamente farò del mio meglio per scappare. "

lo esclamato un sfrenato " Huh! " e deve avermi sentito,perché lui
ontinuò nervosamente:

Quello che ho chiamato per chiedere è stato un paio di scarpe che avevo
sciato lì. mi chiedo se
arebbe troppo disturbo se li mandasse il maggiordomo. Vedi,
ono scarpe da tennis e senza di esse sono un po' impotente . Mio
ndirizzo è presso BF ...»

on l'ho sentito perché ho riattaccato.

opodiché provai una certa vergogna per Gatsby ,un gentiluomo al quale io
elefonato lasciava intendere che aveva ottenuto ciò che si meritava.
uttavia,cosi era
olpa mia,perché era uno di quelli,che solevano deriderlo più amaramente
atsby sul coraggio del liquore di Gatsby ,e avrei dovuto saperlo
neglio che chiamarlo.

a mattina del funerale andai a New York per vedere Meyer
Wolfsheim; Non potevo raggiungerlo in nessun altro modo. La porta che

perto,su consiglio di un ragazzo dell'ascensore,era contrassegnato con "
he
wastika Holding Company " ,e all'inizio sembrava che non ci fosse
essuno
entro. Ma dopo aver gridato più volte invano " ciao " ,an
etro un tramezzo scoppiò una discussione e poco dopo apparve
n'adorabile ebrea
pparve ad una porta interna e mi scrutò con nero ostile
cchi.

Non c'è nessuno " ,disse. » Il signor Wolfsheim è andato a Chicago. "

Il grande Gatsby

La prima parte era ovviamente falsa,perché qualcuno aveva cominciato a farlo.
fischiare " Il Rosario " ,stonato,dentro.

» Per favore,di' che il signor Carraway vuole vederlo. "

Non » posso riportarlo da Chicago,vero? "

In quel momento una voce,inconfondibilmente quella di Wolfsheim ,chiamò " Stella! "
dall'altro lato della porta.

" Lascia il tuo nome sulla scrivania " ,disse velocemente. » Glielo darò _ quando torna. "

» Ma so che è lì. "

Fece un passo verso di me e cominciò ad alzare le mani con indignazione e lungo i fianchi.

". Voi giovani pensate di poter entrare qui in qualsiasi momento " ,disse, rimproverato. » Stiamo diventando stufi di questo. Quando dico che è a Chicago,
è a Chicago. "

Ho menzionato Gatsby.

" Oh-h! " Mi guardò di nuovo. » Vuoi semplicemente ... Qual era il tuo nome? "

È scomparsa. In un attimo Meyer Wolfsheim rimase solennemente in piedi porta,tendendo entrambe le mani. Mi ha attirato nel suo ufficio,osservando con voce riverente che era un momento triste per tutti noi,e offrì io un sigaro.

" La mia memoria risale a quando l'ho incontrato per la prima volta " ,ha detto. " Un giovane maggiore
appena uscito dall'esercito e ricoperto di medaglie ottenute in guerra. Era così distrutto che ha dovuto continuare a indossare l'uniforme perché lui
non potevo comprare dei vestiti normali. La prima volta che l'ho visto è stato quando lui
entrò nella sala da biliardo di Winebrenner sulla Quarantatreesima Strada e chiese una
lavoro. Non mangiava nulla da un paio di giorni. ».Dai,prendine un po' pranzo con me , " dissi. Ha mangiato cibo per più di quattro dollari in mezz'ora. "

" Lo hai avviato tu nel mondo degli affari? ",ho chiesto.

" Iniziatelo! L'ho fatto io. "

" OH. "

" L'ho cresciuto dal nulla,direttamente dalla fogna. Ho visto bene lontano era un giovane di bell'aspetto e gentiluomo,e quando lo raccontò se era a Oggsford sapevo che mi sarebbe stato utile. L'ho convinto a unirsi lui e la Legione Americana stavano lassù in alto. Lo fece subito alcuni lavori per un mio cliente fino ad Albany. Eravamo così spessi come che in ogni cosa " — alzò due dita bulbose — " sempre insieme. "

Mi chiedevo se questa partnership avesse incluso le World Series transazione nel 1919.

» Ora è morto » dissi dopo un momento. " Eri il suo amico più caro, quindi so che vorrai venire al suo funerale questo pomeriggio. "

Mi piacerebbe venire. "

Bene,allora vieni. "

peli delle sue narici tremarono leggermente,e mentre scuoteva la testa
suoi occhi si riempirono di lacrime.

on " posso farlo ,non posso immischiarmi " ,ha detto.

'Non c » niente in cui immischiarsi. Adesso è tutto finito . "

Quando un uomo viene ucciso non mi piace mai immischiarmi in nessuna
osa
iodo. Mi tengo fuori. Quando ero giovane era diverso ,se ero un amico
ei miei è morto,non importa come,sono rimasto con loro fino alla fine.
otresti
enso che sia sentimentale,ma lo dico sul serio ,fino alla fine. "

o visto che per qualche motivo era deciso a non venire,
uindi mi sono alzato.

Sei un universitario? " chiese all'improvviso.

er un momento ho pensato che stesse per suggerire un " gonnegtion " ,
a lui
limitò ad annuire e mi strinse la mano.

Impariamo a dimostrare la nostra amicizia per un uomo quando è vivo e
on dopo che sarà morto " ,suggerì. " Dopodiché la mia regola è lasciare
tto da solo. "

uando ho lasciato il suo ufficio il cielo era diventato scuro e sono tornato
West
ovo sotto una pioggia. Dopo essermi cambiato d'abito sono andato alla
orta accanto e ho trovato
signor Gatz cammina su e giù eccitato nel corridoio. Il suo orgoglio nel
io
lio e i possedimenti di suo figlio aumentavano continuamente e ora lui
veva qualcosa da mostrarmi.

Jimmy mi ha mandato questa foto. " Tirò fuori il portafoglio tremando
a. " Guarda qui. "

a una fotografia della casa,crepata negli angoli e sporca
n molte mani. Mi ha sottolineato ogni dettaglio con entusiasmo. "
petto
!" e poi cercò l'ammirazione dai miei occhi. Lo aveva dimostrato così
esso penso che adesso per lui fosse più reale della casa stessa.

Me lo ha mandato Jimmy. Penso che sia una foto molto carina. Si
esenta
ENE. "

Ottimo. Lo avevi visto ultimamente? "

È venuto a trovarmi due anni fa e mi ha comprato la casa in cui vivo
ra. Ovviamente ci siamo lasciati quando è scappato di casa,ma capisco
a c'era una ragione per questo. Sapeva di avere un grande futuro davanti
. E da quando ha avuto successo è stato molto generoso con me. "

embrava riluttante a mettere via la foto e la tenne per un'altra
inuto,indugiando,davanti ai miei occhi. Poi ha restituito il portafoglio e
o fuori dalla tasca una vecchia copia logora di un libro intitolato Hopalong
assidy.

Guarda,questo è un libro che aveva da ragazzo. Si vede e basta
i. "

Il grande Gatsby

L'ha aperto dal retro della copertina e l'ha girato affinché potessi vederlo. Su sull'ultimo risguardo era stampata la parola orario,e la data settembre 12,1906. E sotto:

Alzarsi dal letto alle 6:00
Esercizio con manubri e wall scaling 6:15-6:30 "
Studia l'elettricità,ecc. 7:15-8:15
Lavoro 8:30-16:30
Baseball e sport 16:30-17:00 "
Esercitati nell'elocuzione,nell'equilibrio e come ottenerlo 17:00-18:00 "
Invenzioni necessarie allo studio 7:00-9:00 "

Risoluzioni generali

* Non perdere tempo da Shafters o [un nome,indecifrabile]

* Non più fumare o masticare.

* Bagno a giorni alterni

* Leggi un libro o una rivista migliorativa a settimana

* Risparmia $ 5,00 [barrato] $ 3,00 a settimana

* Sii migliore con i genitori

" Mi sono imbattuto in questo libro per caso " ,disse il vecchio. " E 'solo te lo mostra,non e vero? "

" Ti mostra e basta. "

" Jimmy era destinato ad andare avanti. Ha sempre avuto dei propositi come questo
o qualcosa. Noti cosa ha in mente per migliorare la sua mente? Lui è sempre stato fantastico per questo. Una volta mi ha detto che stavo come un maiale e ho battuto
lui per questo. "

Era riluttante a chiudere il libro,leggendo ogni elemento ad alta voce e poi guardandomi con impazienza. Penso che si aspettasse piuttosto che copiassi il
elenco per uso personale.

Poco prima delle tre arrivò il ministro luterano da Flushing,e.
Ho iniziato a cercare involontariamente altre macchine fuori dai finestrini. Così feci
di Gatsby . E col passare del tempo i servi entrarono e rimase in attesa nell'ingresso,i suoi occhi cominciarono a battere le palpebre con ansia,e lui
barlava della pioggia in modo preoccupato,incerto. Il ministro guardò più volte al suo turno,quindi l'ho preso da parte e gli ho chiesto di aspettar per mezz'ora. Ma non servì a niente. Nessuno venne.

--- ---------------------

Verso le cinque il nostro corteo di tre macchine raggiunse il cimitero e si fermò sotto una fitta pioggerellina accanto al cancello : prima un carr funebre,
orribilmente nero e bagnato,poi il signor Gatz,il ministro e io nella limousine,e poco dopo quattro o cinque servitori e il postino
da West Egg,nella station wagon di Gatsby ,tutto bagnato fino alle ossa Come noi
Ho iniziato a varcare il cancello del cimitero e ho sentito una macchina fermarsi e poi
Il rumore di qualcuno che ci insegue sul terreno fradicio. IO
guardo intorno. Era l'uomo con gli occhiali da gufo che avevo trovato tre mesi dopo,una notte,in biblioteca,ammiravo i libri di Gatsby
Prima.

Il grande Gatsby

)a allora non l'ho mai più rivisto . Non so come facesse a sapere del
_nerale,o anche il suo nome. La pioggia gli cadeva sugli occhiali spessi,e
_e li tolse e li asciugò per vedere il telo protettivo srotolato
_mba di Gatsby .

_llora ho provato a pensare a Gatsby per un momento,ma lo era già
_oppo lontano,e potevo solo ricordare,senza risentimento,quello
Daisy non aveva mandato un messaggio né un fiore. Vagamente sentii
_ualcuno mormorare
_Beati i morti su cui cade la pioggia " ,e poi gli occhi da gufo
_uomo disse " Amen " ,con voce coraggiosa.

_cendemmo velocemente sotto la pioggia fino alle macchine. Parlarono gli
_cchi di un gufo
_me vicino al cancello.

_Ion " potevo arrivare a casa " ,osservò.

_Neppure nessun altro potrebbe farlo. "

_Vai avanti! " Ha cominciato. » Perché,mio Dio! andavano lì con il
_entinaia. "

_i tolse gli occhiali e li asciugò di nuovo,fuori e dentro.

_Povero figlio di puttana » ,disse.

-- ----------------------

_no dei miei ricordi più vividi è il ritorno in Occidente dalla scuola
_lementare
_più tardi,dal college nel periodo natalizio. Quelli che sono andati più lontano
_hicago si riuniva nella vecchia e buia Union Station alle sei del mattino
_erata di dicembre,con alcuni amici di Chicago,già presi
_allegria delle vacanze,per salutarli frettolosamente. mi ricordo
_ pellicce delle ragazze che tornavano da Miss Questo-o-Quello e il
_hiacchiere di fiato congelato e mani che agitavano in alto mentre
_atturavamo
_sta di vecchie conoscenze e abbinamenti di inviti: " Sei tu
_ndando all'Ordways ? gli Hersey ?. gli Schultz ? " e il lungo
_glietti verdi stretti nelle nostre mani guantate. E per ultimo l'oscuro
_agoni gialli della ferrovia di Chicago,Milwaukee e St. Paul in cerca
_llegro come il Natale sui binari accanto al cancello.

_uando uscivamo nella notte invernale e nella neve vera,la nostra neve,
_mincio a distendersi accanto a noi e a scintillare contro le finestre,e
_ luci fioche delle piccole stazioni del Wisconsin passavano con un ritmo
_elvaggio e tagliente
_tutto venne improvvisamente in aria. Ne abbiamo fatto respiri profondi
_entre noi
_ornai dalla cena attraverso i freddi vestiboli,indicibilmente consapevole
_ella nostra identità con questo paese per una strana ora,davanti a noi
_ fuse di nuovo indistinguibilmente in esso.

_uesto è il mio Middle West ,non il grano,le praterie o lo svedese perduto
_itta,ma gli emozionanti treni di ritorno della mia giovinezza,e la strada
_mpade e campanelli da slitta nell'oscurità gelida e nelle ombre
_ell'agrifoglio
_hirlande gettate dalle finestre illuminate sulla neve. Ne faccio parte,a
_ po' solenne con l'atmosfera di quei lunghi inverni,un po' compiacente
_al crescere nella casa Carraway. In una città dove ci sono abitazioni
_ncora chiamata da decenni con il nome di una famiglia . Ora vedo che
_uesto
_ stata una storia del West,dopo tutto : Tom e Gatsby,Daisy e
_ordan dalla cena attraverso tutti occidentale,e forse ne possedevamo alcuni
_arenza in comune che ci rendeva sottilmente inadattabili alla vita
_rientale.

Il grande Gatsby

Anche quando l'Oriente mi emozionava di più,anche quando ne ero più acutamente consapevole
della sua superiorità rispetto alle città annoiate,tentacolari e gonfie al di là del
Ohio,con le loro interminabili inquisizioni che risparmiarono solo i bambini e gli anziani - anche allora per me ha sempre avuto una qualità di distorsione. West Egg,in particolare,figura ancora nei miei film più fantastici
sogni. La vedo come una scena notturna di El Greco: cento case,a un tempo convenzionale e grottesco,accovacciato sotto un cupo,
straplombante
cielo e una luna senza splendore. In primo piano quattro uomini solenni in abito
Sono vestiti che camminano lungo il marciapiede con una barella su cui giace a
donna ubriaca in un abito da sera bianco. La sua mano,che penzola
il lato,scintilla freddo di gioielli. Con gravità gli uomini entrano in a casa : la casa sbagliata. Ma nessuno conosce il nome della donna ,e nessuno
se ne frega.

Dopo la morte di Gatsby ,per me l'Oriente è stato così infestato,distorto oltre il potere di correzione".dei miei occhi Quindi quando il fumo blu è fragile
c'erano foglie nell'aria e il vento spingeva la biancheria bagnata rigida sul linea ho deciso di tornare a casa.

C'era una cosa da fare prima di partire,una cosa imbarazzante e spiacevole
cosa che forse sarebbe stato meglio lasciar perdere. Ma volevo farlo lasciare le cose in ordine e non fidarsi solo di persone compiacenti e indifferenti
mare per spazzare via i miei rifiuti. Ho visto Jordan Baker e ne ho parlato su quello che ci era successo insieme e su quello che era successo
poi a me,e lei rimase perfettamente immobile,in ascolto,in un grande sedia.

Era vestita per giocare a golf e ricordo di aver pensato che somigliasse una buona illustrazione,il suo mento sollevato un po' allegramente,i suoi capelli
colore di una foglia autunnale,il suo viso ha la stessa tinta marrone del guanto senza dita sul ginocchio. Quando ebbi finito mi disse senza commentare che era fidanzata con un altro uomo. Ne dubitavo,però
ce n'erano diversi che avrebbe potuto sposare con un cenno del capo, tranne io
finse di essere sorpreso. Per un attimo mi sono chiesta se non lo fossi ho commesso un errore,poi ho ripensato velocemente a tutto e mi sono alzato
dire addio.

» Tuttavia mi hai buttato a terra » ,disse all'improvviso Jordan. " Hai lanciato
io al telefono. Non me ne frega niente di te adesso,ma è così è stata un'esperienza nuova per me e per un po' ho avuto un po' di vertigini.

Ci siamo stretti la mano.

" Oh,e ti ricordi ",aggiunse ," di una conversazione che abbiamo avuto una volta?
guidando una macchina? "

» Perché ... non esattamente. "

" Hai detto che un cattivo guidatore era al sicuro solo finché non incontrava un altro cattivo guidatore?
Beh,ho incontrato un altro pessimo guidatore,no ? Voglio dire,è stato negligente da parte mia
fare un'ipotesi così sbagliata. Pensavo che fossi piuttosto onesto, persona schietta. Pensavo fosse il tuo orgoglio segreto.

Il grande Gatsby

Ho anni'trent » ,dissi. " Ho cinque anni troppo vecchio per mentire a
e stesso e
iamalo onore. "

ei non ha risposto. Arrabbiato e mezzo innamorato di lei,e
emendamente
cusa,mi sono allontanato.

---

n pomeriggio di fine ottobre vidi Tom Buchanan. Stava camminando avanti
me lungo la Fifth Avenue nel suo modo vigile e aggressivo,con le mani
ese a
co dal suo corpo come per respingere le interferenze,muovendo la testa
uscamente quà e là,adattandosi ai suoi occhi inquieti. Proprio come
o rallentato per evitare di sorpassarlo lui si è fermato e ha cominciato ad
cigliarsi
vetrine di una gioielleria. All'improvviso mi vide e tornò indietro,
endendogli la mano.

Che succede ,Nick? Sei contrario a stringermi la mano? "

Sì. Sai cosa penso di te. "

Sei pazzo ,Nick » ,disse velocemente. " Pazzesco da morire. Non lo so
e ti succede? "

Tom " ,chiesi," che cosa hai detto a Wilson quel pomeriggio? "

i fissò senza dire una parola e sapevo di aver indovinato
uelle ore mancanti. Feci per voltarmi,ma lui fece un passo dopo
e e mi afferrò il braccio.

Gli ho detto la verità " ,ha detto. " È venuto alla porta mentre eravamo lì
reparandoci per partire,e quando ho fatto sapere che non eravamo
resenti
cercato di salire con la forza al piano di sopra. Era abbastanza pazzo da
cidermi se
on gli avevo detto di chi era il proprietario dell'auto. La sua mano era su
a pistola
cascare ogni minuto che era in casa ...» Si interruppe con aria di sfida.
E se glielo dicessi? Quel tizio se l'era cercata. Lui gettò
lvere nei tuoi occhi proprio come faceva con quello di Daisy ,ma era un
ıro
o. Ha investito Myrtle,come si investe un cane e nemmeno mai
rmò la sua macchina. "

on c'era niente che potessi dire,tranne l'unico fatto indicibile che era così
on era vero.

E se pensi che non ho avuto la mia parte di sofferenza ,guarda qui,
ıando
ono andato a lasciare l'appartamento e ho visto quella maledetta scatola
biscotti per cani
duto lì sulla credenza,mi sono seduto e ho pianto come un bambino. Di
o,e stato terribile ...

on potevo perdonarlo o apprezzarlo,ma vedevo ciò che aveva fatto
a,per lui,del tutto giustificato. È stato tutto molto distratto e
nfuso. Erano persone imprudenti,Tom e Daisy : si sono sfasciati
se e creature e poi si ritiravano nei loro soldi o nei loro
ande disattenzione,o qualunque cosa fosse che li teneva insieme,e
sciamo che
re persone ripuliscono il pasticcio che avevano fatto ...

i ho stretto la mano; mi sembrava sciocco non farlo,perché all'improvviso
sentii come
iche se stavo parlando con un bambino. Poi è passato alla gioielleria

Il grande Gatsby

negozio per comprare una collana di perle - o forse solo un paio di polsini
bottoni : liberami per sempre della mia schizzinosità provinciale.

-- ---------------------

di Gatsby era ancora vuota quando me ne andai ,anche l'erba del suo
prato
cresciuto quanto il mio. Uno dei tassisti del villaggio mai .
feci un passo oltre il cancello d'ingresso senza fermarmi un minuto e
puntando verso l'interno: forse è stato lui a portare Daisy e Gatsby li
East Egg la notte dell'incidente,e forse aveva inventato una storia
a riguardo tutto suo. Non volevo sentirlo e l'ho evitato quando
Sono sceso dal treno.

Ho passato i miei sabato sera a New York perché quelli luccicanti,
le sue feste abbaglianti,erano con me così vividamente che potevo ancora
sentire la musica e le risate,deboli e incessanti,del suo giardino,
e le macchine che andavano su e giù per il suo vialetto.Una notte ho
sentito a
li,e vide le luci fermarsi davanti ai suoi gradini. Ma io
non ho indagato . Probabilmente si trattava di qualche ospite finale che
era stato assente
ai confini della terra e non sapevano che la festa era finita.

L'ultima notte,con il bagagliaio pronto e la macchina venduta al droghiere,
Una volta sono andato a guardare quell'enorme e incoerente fallimento di
una casa.
Di più. Sui gradini bianchi una parola oscena,scarabocchiata da qualche
ragazzo con la a
pezzo di mattone,risaltava chiaramente alla luce della luna,e l'ho cancellato
trascinando la scarpa raspando lungo la pietra. Poi ho vagato fino al
spiaggia e disteso sulla sabbia.

La maggior parte dei grandi locali sulla costa adesso erano chiusi e non ce
n'erano quasi più
luci tranne il bagliore oscuro e in movimento di un traghetto attraverso il
Suono. E mentre la luna saliva più in alto,le case non essenziali
cominciavano a farlo
sciogliersi finché gradualmente mi resi conto della vecchia isola qui quella
fiorito una volta per gli occhi dei marinai olandesi : un seno fresco e
verde del nuovo
mondo. I suoi alberi scomparsi,gli alberi che avevano lasciato il posto a
quello di Gatsby
casa,una volta aveva assecondato sottovoce l'ultimo e il più grande di tutt
sogni umani; per un attimo transitorio e incantato l'uomo deve aver
trattenuto il suo
respiro al cospetto di questo continente,costretto in un'estetica
contemplazione che non comprese né desiderò,faccia a faccia per il
l'ultima volta nella storia con qualcosa di commisurato alla sua capacità
Meraviglia.

E mentre sedevo lì a rimuginare sul vecchio mondo sconosciuto,ho pensat
a
di Gatsby quando per la prima volta vide la luce verde alla fine
di Daisy . Aveva fatto molta strada per raggiungere questo prato blu e il
suo sogno
doveva sembrargli così vicino che difficilmente avrebbe potuto fare a mer
di coglierlo. Lui
non sapeva che era già alle sue spalle,da qualche parte lì dentro
vasta oscurità oltre la città,dove si trovano i campi oscuri della repubblica
rotolava sotto la notte.

Gatsby credeva nella luce verde,nel futuro orgastico entro quell'anno
l'anno si allontana davanti a noi. Allora ci è sfuggito,ma non è così
importa : domani correremo più veloci,allungheremo ancora di più le bracc
... E
una bella mattina -

Il grande Gatsby

Così continuiamo a remare,barche controcorrente,ri portati incessantemente dentro passato.